ADIEU MON FRÈRE

DU MÊME AUTEUR

LE CRI DE L'OISEAU ROUGE, Pygmalion, 1995.

KRIK ? KRAK ! Pygmalion, 1996.

LA RÉCOLTE DOUCE DES LARMES, Grasset, 1999.

APRÈS LA DANSE. AU CŒUR DU CARNAVAL DE JACMEL, HAÏTI, Grasset, 2004.

LE BRISEUR DE ROSÉE, Grasset, 2005.

CÉLIMÈNE : CONTE DE FÉES POUR FILLE D'IMMIGRANTS, Mémoire d'encrier, 2008.

EDWIDGE DANTICAT

ADIEU MON FRÈRE

Traduit de l'anglais
par
JACQUES CHABERT

BERNARD GRASSET
PARIS

L'édition originale de cet ouvrage a été publiée en 2007 par Alfred A. Knopf
aux États-Unis, sous le titre :

BROTHER, I'M DYING

ISBN 978-2-246-72981-5

Pour la prochaine génération de « cats »
Nadira, Ezekiel,
Zora, Timothy
et Mira

Commencer par la mort. Remonter le cours de la vie,
et puis, pour finir, revenir à la mort.
Ou encore : la vanité de prétendre dire quoi que ce soit à propos de qui que ce soit.

Paul AUSTER, *L'Invention de la solitude*

PREMIÈRE PARTIE

C'EST MON FRÈRE

Voici la faveur que tu me feras :
Dans tous les lieux où nous irons, dis
de moi : C'est mon frère.

Genèse 20,13

As-tu bien profité de la vie?

J'ai découvert que j'étais enceinte le jour même où la rapide perte de poids de mon père et les difficultés respiratoires dont il souffrait de manière chronique furent diagnostiquées comme les symptômes d'une fibrose pulmonaire en phase terminale.

C'était une chaude matinée dans les premiers jours de juillet 2004. A Miami, je pris un vol à 6 h 30 du matin pour accompagner mon père qui avait dans l'après-midi un rendez-vous auprès d'un pneumologue de l'hôpital de Coney Island à Brooklyn. J'avais prévu de rattraper mon manque de sommeil durant le vol, mais des crampes dans le bas du ventre me tinrent éveillée.

J'interprétai mes crampes comme un signe de l'inquiétude que je ressentais pour mon père. Ces derniers mois, sa respiration était devenue laborieuse, rauque et il avait été hospitalisé à trois reprises. Lors de son dernier séjour à l'hôpital, il avait été suivi par un pneumologue qui, depuis, avait procédé à une nouvelle série d'examens.

Mon père vint me chercher à l'aéroport à 9 heures du matin. Nous ne nous étions pas vus depuis un mois. Deux années auparavant, en août 2002, je m'étais mariée et installée à Miami où vivait mon fiancé. Craignant les reproches de mon père, je ne lui avais annoncé mon intention de partir de New York qu'un mois avant le mariage et il avait alors souhaité que je vienne m'entretenir avec lui dans sa chambre.

« Comment peux-tu quitter New York ? » me demanda-t-il tout en remplissant un chèque sur un livre posé sur ses genoux. A cette époque il était encore en bonne santé, malgré sa maigreur, avec ses mouvements dégingandés qui lui donnaient l'allure d'un danseur vieillissant, son front dégarni et ses cheveux poivre et sel.

Il retira ses lunettes à double foyer, ce qui me permit de mieux voir ses yeux couleur d'ambre, et ajouta d'une voix lente et éraillée : « Ta mère est ici à Brooklyn. Je suis ici. Deux de tes trois frères sont ici. Tu n'as pas de famille à Miami. Que se passera-t-il si cet homme pour qui tu t'en vas là-bas te maltraite ? Vers qui pourras-tu te retourner ? »

Il acheva sa réprimande en me tendant l'équivalent de cinq mensualités de remboursement de l'emprunt de sa maison pour les frais de réception de la noce. En repensant à ce moment, j'aurais préféré qu'il me dise simplement : « Ne pars pas. Je vais tomber malade et je pourrais mourir. »

A l'aéroport, mon père n'eut pas la force de sortir de la voiture pour m'accueillir.

La chaleur étouffante rendait sa respiration encore plus difficile, m'expliqua-t-il sur son téléphone portable, tout en me faisant des signes de la main au volant de sa Lincoln Town Car rouge vif, qu'il utilisait tour à tour comme taxi clandestin et voiture familiale.

Lorsqu'il se pencha pour ouvrir la portière, il eut une quinte de toux profonde et caverneuse qui provoqua un afflux de flegmes épais qu'il cracha dans des serviettes de papier entassées dans un sac plastique à côté de lui.

Depuis six mois qu'il était visiblement malade, mon père avait honte de cette toux, comme il était gêné par ses bras et ses jambes affectés d'un psoriasis et d'un eczéma chroniques contre lesquels il luttait en vain depuis des années. Il se sentait dans la peau d'un « lépreux biblique », celui dont les gens craignaient qu'il les infecte de microbes qui leur ravageraient la peau, leur transmette toutes sortes de maladies. Alors, chaque fois qu'il toussait, il couvrait son visage de ses deux mains.

J'attendis qu'il ait fini de tousser, puis me penchai vers lui et l'embrassai. Mes lèvres heurtèrent la saillie de ses pommettes. Il portait maintenant une veste même les jours de canicule, pour cacher sa maigreur. Ce matin-là, à l'aéroport, il portait un pull-over gris, une chemise bleue à rayures et un pantalon de marin qui aurait pu appartenir à quelqu'un de deux fois plus grand que lui.

« Je suis content de te voir », me dit-il en tirant sur le col trop large de sa chemise blanche.

A la sortie de l'aéroport, tout en s'intégrant à la circulation, il m'interrogea sur mon mari et sur la maison du quartier de Little Haïti à Miami que nous rénovions depuis deux ans.

« Quoi de neuf? me demanda-t-il en clignant de l'œil. Un bébé? »

Fedo, mon mari, et moi attendons d'avoir achevé les travaux avant de faire un enfant, lui répondis-je.

« Tu as trente-cinq ans, dit-il. Pour avoir des enfants, tu as plus d'années derrière toi que devant. »

Alors que je le regardais conduire sans effort cette voiture qu'il possédait depuis presque dix ans, je fus prise à nouveau d'une crampe à l'estomac. Nous avions encore quelques heures devant nous avant le rendez-vous chez le médecin, aussi je lui proposai de rendre visite à une herboriste que son pasteur, le ministre de l'église pentecôtiste qu'il fréquentait depuis plus de trente ans, venait de lui recommander.

« Cette herboriste pourrait peut-être nous examiner tous les deux », lui suggérai-je. Je voulais encore croire que nos ennuis de santé étaient comparables, que c'étaient là des troubles que quelques herbes médicinales et plantes aromatiques pourraient guérir.

L'herboriste nous reçut immédiatement bien que nous n'ayons pas pris rendez-vous. Grande Jamaïcaine, la tête couverte d'un foulard tricoté de toutes les couleurs de l'arc-en-ciel, elle fit signe à mon père de s'asseoir sur une chaise placée devant un instrument semblable à celui d'un ophtalmologue.

Avant de procéder à nos examens iridologiques, elle nous rappela qu'elle n'était pas médecin et qu'elle ne pouvait soigner aucune maladie. Cette précaution, nous expliqua-t-elle, est une obligation légale bien qu'elle ait guéri de nombreuses personnes – comme le pasteur de mon père le lui avait dit – dont plusieurs cancéreux en phase terminale.

Elle prit un cliché de chacune des pupilles de mon père, puis les agrandit sur ordinateur. En se penchant, elle examina le blanc des yeux sur l'écran.

« Vous avez besoin de beaucoup de vitamines. » Elle indiqua du doigt plusieurs taches minuscules pour appuyer ses propos. « Il faut que vous nettoyiez votre organisme et que vous débloquiez ces poumons. »

Lorsqu'elle eut achevé son diagnostic, elle tendit à mon père une feuille où elle avait imprimé une liste de plusieurs sirops et cachets qu'elle proposait à la vente.

Après avoir examiné mon œil, elle me dit que j'avais un déséquilibre dans l'utérus.

Avais-je eu des retards de règles ? Avais-je effectué un test de grossesse ?

Mon père, qui était plongé dans la lecture d'un catalogue d'herbes médicinales hors de prix, leva soudain la tête.

« Je n'ai aucune raison d'effectuer un test de grossesse, lui dis-je. Mon mari et moi, eh bien... nous
avons toujours pris des précautions. »

Mon père ouvrit la bouche pour dire quelque
chose, mais ses mots se perdirent dans une longue
quinte de toux, ce qui amena l'herboriste à ajouter
quelques articles supplémentaires à sa liste.

« Il se passe quelque chose en vous, me dit-elle au
moment où nous la quittâmes, emportant pour deux
cents dollars de vitamines, coenzymes, oxygène liquide et antitussifs naturels pour mon père. Les yeux
ne mentent pas. »

Le cabinet du docteur Padman était d'une tristesse à
donner le cafard. Tous les patients de la salle d'attente,
des immigrants antillais, africains et de l'Europe de
l'Est pour la plupart, paraissaient chercher leur respiration. Certains, comme mon père, parvenaient avec
peine à s'en sortir seuls, alors que d'autres traînaient
avec eux un réservoir d'oxygène portable.

Mon frère Bob, qui enseignait les matières générale-
les dans un lycée voisin, était celui qui, en raison de sa
proximité et des après-midi libres que lui laissait
son travail, accompagnait le plus souvent mon père
dans la salle d'attente. Néanmoins, après quelques
visites, lui aussi se mit à redouter cette pièce grise et
lugubre, ses odeurs de renfermé, sa peinture beigeasse
écaillée et ses affiches contre le tabac, parce que c'était
l'endroit où la condition critique de notre père apparaissait sans aucune ambiguïté, où son avenir se révé-

lait des plus compromis. En même temps, c'était le lieu où Papa semblait le plus à l'aise, où il pouvait tousser sans gêne, parce que d'autres toussaient également, certains même plus bruyamment que lui. Autour de lui, sur les visages squelettiques et dans les voix essoufflées, il trouvait sa place dans une sorte de continuum, où, comparé aux autres, il ne s'en sortait pas trop mal.

Peu après notre arrivée, une infirmière demanda à mon père de monter sur une balance. C'était le moment des visites qu'il redoutait le plus, car il lui apportait la preuve qu'il maigrissait. Avant de tomber malade, il pesait 77 kilos pour une taille de 1,75 mètre. En ce mois de juillet 2004, il n'accusait plus que 58 kilos.

Quand nous entrâmes dans son cabinet, le docteur Padman se présenta rapidement. Petit, chaussé de lunettes, cet homme originaire de l'Asie du Sud, avec une faible trace d'accent, paraissait, comme mon père et moi, avoir passé une partie de son existence dans une région du monde qui résonnait toujours en écho dans sa voix. Avec sa table d'examen et une grande balance qui remplissaient tout l'espace de la pièce minuscule, un seul siège pouvait se loger en face de son bureau, où un écran d'ordinateur était placé en angle devant une fenêtre munie de barreaux, hors de la vue du patient.

Debout derrière la chaise où mon père était assis, j'observais les deux hommes comme un inspecteur du travail qui surveillerait la scène tout en s'efforçant de ne pas intervenir.

« Comment allez-vous, monsieur ? demanda le docteur Padman.

— Pas terrible », répondit mon père.

Pendant toute sa maladie, mon père n'a jamais dit à ses médecins qu'il allait « mal ». Il disait « Pas terrible » ou « Pas plus mal », traduction littérale de l'expression créole « Pa pi mal ».

« Et comment va votre toux, monsieur ? » poursuivit le docteur Padman.

Mon père répondit : « Pareil. »

Je me demandais si le docteur Padman employait l'appellation « monsieur » par affectation, une attitude qu'il s'évertuait à adopter dans les chambres de ses patients ou dans son cabinet, ou bien si c'était un réflexe qui lui venait naturellement. Peut-être était-il de ces gens qui donnent du « monsieur » à tous les hommes, surtout à ceux à qui on s'adresserait le moins de cette façon. Ou peut-être était-ce tout simplement un moyen pour ne pas avoir à se souvenir des noms.

Le docteur Padman lut rapidement les informations sur son ordinateur et prit dans une enveloppe jaune moutarde les radios et les résultats du scanner de mon père. Il les regarda à la lumière de la fenêtre, puis, après avoir jeté un nouveau coup d'œil à l'écran, demanda à mon père : « Prenez-vous toujours de la codéine, monsieur ? »

Mon père avait cessé de prendre la codéine que lui avait prescrite un médecin des urgences, parce qu'elle avait été la cause de son échec au test antidrogue annuel imposé par la Commission des taxis et limousines pour le renouvellement de sa licence de chauffeur de taxi. Il profita de la question du docteur Padman pour lui demander s'il pouvait écrire une lettre à la Commission mentionnant qu'il prenait de la codéine pour raisons médicales.

Le docteur Padman approuva d'un signe de tête et écrivit une note sur un bloc de papier jaune. Puis il décrocha le téléphone et appela son assistante.

Edie était une Philippine maigrichonne et vive qui parlait toujours à tue-tête, comme dans un mégaphone pour un match opposant deux universités.

« Bonjour, hurla-t-elle, ce qui fit sursauter mon père.

— Edie va vérifier votre respiration, monsieur », dit le docteur Padman.

Mon père leva les yeux vers Edie, puis tourna vers le médecin un regard où se lisait un égal désarroi. Il se redressa lentement en se tenant au dossier de la chaise.

« Ça ne durera pas longtemps », dit Edie en posant la main sur l'une des épaules de mon père.

Au moment où mon père disparaissait de ma vue, je me glissai sur sa chaise et tentai de jeter un coup d'œil furtif sur l'ordinateur du docteur Padman, mais l'angle de l'écran était prévu pour offrir une vision maximale au médecin et des plus limitées au patient.

« Edie va procéder à un test de capacité pulmonaire, m'expliqua-t-il. L'examen consiste à faire souffler votre père dans un tube de manière à mesurer la quantité d'air de ses poumons. »

J'imaginai mon père avec le tube dans la bouche, essayant vainement de le remplir, et échouant à chaque tentative. Il ne fallait pas être pneumologue pour voir qu'il ne pouvait même pas souffler une petite bougie. Il n'avait pas d'air de réserve.

« Je m'inquiète beaucoup pour mon père », dis-je.

Pensant sans doute que je ne parlais que du test, il me dit : « Ne vous faites pas de souci. Edie va bien s'occuper de lui.

— Je voulais dire en général, repris-je. C'est son état qui m'inquiète.

— Votre père est atteint d'une maladie très grave, me déclara-t-il. Une fibrose pulmonaire. Vous pouvez chercher ce qu'en dit Internet. Vous verrez que ce n'est pas très rassurant. »

J'eus soudain l'impression que nous parlions de quelqu'un d'autre, d'une personne que l'un comme l'autre nous connaîtrions à peine. J'attendais presque le moment où je serais de retour à la maison pour me renseigner sur cette maladie et j'imaginais que je trouverais le nom de mon père mentionné à moult reprises dans les définitions et les exemples donnés. A défaut d'un autre choix de mots, d'actions ou de prières, j'eus recours à un cliché, à un poncif entendu dans les infirmeries des soap-opéras de la télévision.

« Quel est le pronostic ? demandai-je.

— Ça dépend de beaucoup de choses, me répondit-il, mais la plupart des personnes qui résistent au traitement vivent généralement de six mois à deux ans. »

Le corps de mon père résistait au traitement. La codéine et la prednisone prescrites par le médecin des urgences n'avaient eu aucun effet sur sa toux et n'avaient en rien ralenti le processus graduel et irréversible de durcissement et de cicatrisation de ses poumons.

« Vous devriez informer vos proches de l'état de santé de votre père », me conseilla le docteur Padman, comme si c'était un genre de renseignement qu'on pouvait garder pour soi.

Etait-ce là la manière habituelle d'annoncer à un membre de la famille (sans l'accord du patient) que le malade était à l'article de la mort ? Peut-être ne voulait-il pas ajouter à l'angoisse de mon père en lui révélant directement que son mal était incurable ? Plus tard, cependant, il écrirait sans détour dans la lettre adressée à la Commission des taxis et limousines à la demande de mon père : « Mon patient André Miracin Danticat souffre d'une affection incurable pour laquelle il lui faut prendre de la codéine. »

Mon père n'a jamais mentionné le contenu de cette lettre, que ce soit avant ou après l'avoir photocopiée et avoir envoyé l'original à la Commission des taxis et limousines, qui rejeta son appel.

Quelles sont les causes d'une telle maladie ? me demandai-je tandis que le docteur Padman et moi attendions que mon père revienne de son test de capacité pulmonaire. Pouvait-elle avoir pour origine les vapeurs dégagées par les voitures durant les quelque vingt-cinq années où il avait exercé le métier de chauffeur de taxi ? Ou bien les substances cancérigènes qu'il avait absorbées au cours des vingt années de sa jeunesse où il avait fumé, même s'il avait arrêté depuis plus de vingt-cinq ans ?

« Et une transplantation de poumon ? demandai-je au docteur Padman. Mon père pourrait-il bénéficier d'une greffe des poumons ?

— Il a soixante-neuf ans, me dit-il, comme si cela aussi était pour moi une nouvelle. J'ai peur qu'il ait passé l'âge où il pourrait être mis sur la liste des receveurs. En outre, la transplantation est loin d'être une garantie. Il y a une très forte probabilité de rejet.

— Pourrait-on l'opérer pour couper la partie malade du poumon et garder le reste ? demandai-je.

— Les deux poumons sont atteints, dans leur intégralité. »

Je commençais à avoir le sentiment qu'il trouverait des objections imparables à tout ce que je pourrais lui dire.

J'entendis les chaussures de mon père qui se traînaient sur le sol en se rapprochant de nous. Je reconnaissais le bruit de ses mocassins depuis qu'il avait cessé de lever les pieds en marchant, de manière à alléger la pression qu'exerçait sur lui le poids de son corps.

Edie se tenait derrière lui quand il apparut sur le seuil de la porte. Les épaules tombantes, elle sembla un instant avoir autant de peine à respirer que mon père, qui avait été incapable de passer l'examen. Chaque fois qu'elle lui avait demandé de souffler dans le tube, nous dit-elle, sa toux l'en avait empêché, allant presque jusqu'à provoquer un malaise.

Depuis ces deux derniers mois environ, lorsque mon père restait debout trop longtemps, il se mettait à trembler de tout son corps comme s'il allait soudain s'écrouler. Et en ce moment, il était pareillement agité. Je me levai et l'aidai à s'asseoir sur la chaise en face du bureau du médecin, m'attendant à ce que celui-ci reprenne la parole, explique à mon père quelle était la situation. Sans doute ne m'avait-il fourni ces quelques informations qu'à titre de répétition, en quelque sorte, et il allait maintenant mettre mon père au courant de la gravité de sa maladie, lui révéler le nombre de mois qu'il lui restait à vivre.

Il n'en fit rien. Au lieu de cela, il lui prescrivit à nouveau de la prednisone et de la codéine. Mon père resta silencieux. Il repoussa la tête en arrière contre le mur, ferma les yeux et tenta de respirer à fond, ce qui n'eut pour effet que de produire des halètements.

Dans l'ascenseur de l'hôpital, sans bien comprendre encore tout ce qui s'était passé, je fixai les chiffres lumineux qui s'affichaient et évitai de regarder mon père qui, même avant de tomber malade, avait toujours été mal à l'aise dans un cadre qui ne lui était pas familier. A présent, ses appréhensions paraissaient plus fortes encore, perdu qu'il était dans ce monde à part qui est celui des gens malades.

Dans la voiture, je lui reposai la toute première question que le docteur Padman lui avait posée.

« Comment te sens-tu, Papa? lui demandai-je en créole. Ki jan w santi w? »

Nou la, me dit-il. Pas mal. Bien, même. Non pas selon les critères ordinaires, mais d'après ce qu'il en était venu à considérer comme la normalité. Ne pas trop tousser. Ne pas avoir trop de mal à respirer. La conduite lui convenait parce qu'elle n'exigeait pas trop d'énergie, mais marcher était difficile. Marcher était un supplice.

« Je te dépose à la maison. Je rentrerai un peu plus tard, me dit-il alors que nous approchions de la maison de brique – quatre chambres, deux étages – que ma mère et lui avaient achetée dix-huit ans plus tôt, après avoir habité plusieurs appartements à divers endroits de Brooklyn.

— Reste à la maison et repose-toi », lui dis-je.

Il avait un rendez-vous à l'entreprise de réparation automobile qu'il dirigeait avec mon oncle Franck, le plus jeune de ses deux frères et le seul des quatre membres de la fratrie encore en vie habitant aux Etats-Unis.

Mon ventre fut pris à nouveau de crampes, si fortes et si fréquentes que je me demandai si, après tout, l'herboriste n'avait pas raison. Que se passait-il en moi? Je demandai à mon père de me déposer à la pharmacie la plus proche, où j'achetai un test de grossesse.

Ma mère n'était pas à la maison quand j'arrivai, aussi je m'enfermai dans la minuscule salle de bains pour amis et fis couler un filet d'urine sur une des deux languettes en plastique du test. Le verre dépoli de la fenêtre de la pièce empêchait la lumière de l'après-midi d'entrer et le petit espace, rempli de vases et de coupes garnis de roses et autres fleurs séchées, paraissait sombre, même avec la lumière allumée. Je m'efforçai de lire les résultats du test. Une ligne rose apparut, puis une seconde. Je jetai de nouveau un coup d'œil à la boîte pour être certaine de mon interprétation. Une ligne signifiait non enceinte, deux signifiait enceinte, un symbolisme qui, à l'évidence, n'était pas dénué de sens. Avant les résultats, on se croit seule, puis soudain on se découvre deux.

Je m'appuyai contre l'évier, m'agrippant au robinet pour rester sur mes jambes. *Mon père était mourant et j'étais enceinte.* Les deux nouvelles m'apparaissaient d'une invraisemblable irréalité.

Tenant en main la languette à présent humide, je me laissai glisser au sol et me mis à sangloter. Je craignais de perdre mon père tout en étant prise d'un autre type de crainte : l'angoisse de l'enfantement. Tout se mélangeait soudain dans ma tête et m'entraînait dans les pensées les plus sombres. Arriverais-je à mener ma grossesse à terme ? Y aurait-il des complications ? Pourrais-je y laisser la vie ? Le bébé pourrait-il mourir ? Pourrions-nous mourir, le bébé et moi ? Mon père mourrait-il avant nous ? Ou allions-nous tous mourir au même moment ?

D'un autre côté, mettre un enfant au monde semblait n'avoir aucun rapport avec la mort. C'était une énorme marque de confiance en l'avenir, la certitude que quelqu'un vous survivrait.

Il fallait que je parle à mon mari. Je fouillai à l'aveuglette dans mon sac à main pour trouver mon téléphone portable et composai son numéro.

« Devine quoi ? lui dis-je sans autre forme de procès. Nous attendons un enfant. »

Dans des circonstances différentes, je me serais précipitée à la maison, pour l'accueillir à l'aéroport les bras chargés d'un bouquet de roses avec une carte adressée à « Papa ». Ou j'aurais pu le taquiner au téléphone, le forcer à découvrir la nouvelle sans la lui annoncer. Mais il m'apparut impossible d'agir autrement ce jour-là. Cependant, je me retins de lui parler de mon père. Peut-être ne désirais-je pas m'entendre prononcer de telles paroles. Ou bien je voulus éviter que son émotion en soit ternie, que, pour lui, ces deux informations se heurtent comme elles s'étaient télescopées pour moi.

« Un bébé ? Mais c'est merveilleux ! » Mon mari manifesta sa joie bruyamment. J'imaginais son sourire rassurant, calme, s'élargissant de plaisir.

« Je n'arrive pas à y croire, s'écria-t-il, après avoir pris la pleine mesure de la nouvelle. Nous allons être parents ! »

Hormis mon mari, je décidai de n'annoncer la nouvelle à personne pendant quelques jours, pas même à mes parents. Ce week-end, mon frère Kelly, musicien et programmeur, qui, de nous tous, ressemblait le plus à mon père, venait de Lancaster, dans le Massachusetts nous rendre visite. Il nous fallait tous nous concentrer sur une stratégie familiale à adopter face au diagnostic de mon père et nous n'y parviendrions pas si tout le monde était distrait par l'annonce de l'arrivée du bébé. De plus, il m'était impossible de garder à l'esprit ces deux faits en même temps, de trouver les mots pour exprimer les deux événements. Je fermai les yeux et retins mon souffle, en me forçant à répéter comme un mantra : *Mon père se meurt et je suis enceinte.*

Je sortis de la salle de bains et appelai mon plus jeune frère, Karl, à la société de courtage où il travaille. Je lui rapportai ce que m'avait dit le docteur Padman et immédiatement une discussion s'engagea. Le médecin aurait-il dû me parler du diagnostic sans en parler à mon père ? De l'avis de Karl, c'était pour le moins un manque d'égards, voire une faute du point de vue éthique.

« Ça me semble bizarre. » Il paraissait en vouloir à moi, au médecin, au diagnostic, à la maladie. « Le médecin n'a pas le droit de partager avec toi des informations qu'il refuse de donner à Papa. »

Peut-être n'aurais-je pas dû l'appeler à son travail, me dis-je. J'aurais dû attendre son retour à la maison. Il se passait toujours tant de choses dans son bureau. Des gens venaient à tout moment. Son téléphone sonnait sans arrêt. Il était probablement sous pression. Je lui avais jeté la nouvelle à brûle-pourpoint, lui avais annoncé cela trop rapidement, et il n'avait eu d'autre choix que de réagir spontanément, sans avoir pris le temps de mesurer ses paroles.

De nous quatre, mes frères Karl et Bob, qui habitaient à East Flatbush, à quelques rues de chez mes parents, étaient ceux qui voyaient mon père le plus souvent. C'étaient eux, plus que quiconque, qui, à l'exception de ma mère, allaient le regarder mourir.

« Vas-tu dire à Papa ce que le docteur t'a dit ? me demanda Karl d'une voix ferme, brusque.

— Non », lui répondis-je, d'un ton pareillement inflexible.

Je n'avais pourtant pas décidé, jusqu'à ce moment précis, de ne pas avoir avec mon père de conversation sur ce sujet. Peut-être Karl ou mes autres frères en seraient capables, ou ma mère, mais je savais moi que je ne pourrais pas. Je me rangeais à présent dans le camp du docteur Padman. A quoi servirait-il de tout révéler à Papa ? Il était probable que l'information le démoraliserait, lui briserait le cœur, le déprimerait. Par ailleurs, c'était un homme pieux. Peut-être réfuterait-il carrément le diagnostic, le considérerait-il comme un mensonge sans y croire un seul instant. Malgré tout, je ne me sentais pas en mesure de lui dévoiler la vérité. Peut-être était-ce une lâcheté de ma part, mais je ne pouvais pas.

« Nous devrions dire à Papa ce que le docteur t'a appris, insista Karl. Il aurait dû le lui dire. Il a le droit de savoir. Si tu étais dans son cas, est-ce que tu ne préférerais pas savoir ? »

Bien entendu que j'aurais voulu connaître le diagnostic. J'étais d'accord avec lui sur le principe. Mais soudain, je me demandai : et si mon père découvrait d'une façon ou d'une autre la gravité de sa situation, n'interpréterait-il pas le silence du médecin et le mien comme un signe que les choses étaient encore plus graves qu'elles n'étaient en réalité ?

Cet après-midi-là, avant que mon père ne rentre à la maison, pendant que ma mère lui préparait son dîner, je lui donnai une version édulcorée de ce que m'avait dit le docteur Padman.

« Le médecin pense qu'il n'est pas en bonne santé, lui dis-je alors qu'elle coupait en tranches une petite courge et jetait les morceaux dans une casserole d'eau bouillante pour préparer un ragoût. Le médecin dit qu'il pourrait ne pas guérir. »

Je répétai sans nécessité le mot « médecin » comme pour bien montrer que j'étais la messagère et non la source.

En posant le couvercle sur la casserole, ma mère éteignit les brûleurs de la cuisinière, se versa un verre d'eau au robinet de l'évier – qui avait une fuite – et s'assit face à moi à la table de cuisine vide de tout objet.

« Je savais que c'était quelque chose de grave », me dit-elle en massant les côtés de son visage rond. Sa voix était douce, lente, presque un murmure. « On dirait qu'il est en train de fondre. »

Ce qu'elle préparait ce soir-là était une version très

simplifiée de ce qu'elle avait eu l'intention de faire, une soupe de courge plutôt qu'un ragoût complet. On n'y toucha pas cependant. Personne n'avait envie de manger.

Quelques jours plus tard, l'association des diacres de l'église que fréquentait mon père fut reçue pour son repas annuel dans un self-service chinois de Canarsie, sur Ralph Avenue, à Brooklyn. Le costume ivoire que mon père avait mis le matin était si grand pour lui qu'il avait ajouté deux trous supplémentaires à sa ceinture, laquelle, trop tendue, avait l'apparence d'une peau balafrée.

Traînant sa silhouette décharnée entre les tables pour accueillir des dizaines d'amis de longue date, il paraissait plein d'entrain et jovial, mais après chaque poignée de main et quelques mots échangés, il lui fallait s'appuyer de la main sur une épaule pour se reposer.

Lorsqu'il eut terminé ses salutations, il remplit son assiette d'ailes de poulet frites qu'il ne toucha pas. Comme il toussait, certains membres de l'église s'approchèrent de lui pour lui tenir la main. D'autres lui enjoignirent de rentrer chez lui. Leurs conseils partaient d'un bon sentiment, mais il se sentit rejeté. Comme s'ils ne voulaient pas de lui près de leur nourriture.

Ce même après-midi, mon frère Kelly arriva du Massachusetts, et mon père décida alors de réunir la famille. Cette réunion, comme tous les rares rassemblements précédents, prit un aspect plutôt cérémonieux. Alors que nous étions tous assis autour de la longue table de chêne de la salle à manger, entourés des bibelots de ma mère, des objets au décor surchargé, d'aspect ancien mais flambant neufs, et des photographies agrandies de nos remises de diplômes, mariages et fêtes de Noël, mon père aborda directement le sujet à l'ordre du jour.

« La raison de cette réunion, annonça-t-il, est de discuter de ce qu'il va arriver à votre mère quand je ne serai plus là. »

Mon père était assis sur sa chaise habituelle en bout de table. Ma mère lui faisait face à l'autre extrémité. J'étais assise à la gauche de mon père, à la droite de ma mère, à côté de Karl, qui, avec son mètre quatre-vingt-cinq, nous dominait tous. Kelly et Bob, le milieu de la fratrie, les cadets comme j'aimais les appeler, étaient assis en face de nous. Nous fûmes tous stupéfiés, réduits au silence par les paroles de mon père, autant ceux d'entre nous qui pensaient que nous devions lui rapporter ce que le médecin avait dit (mes frères Karl et Kelly) que les autres qui étaient d'un avis contraire. Mais il se peut que le médecin ait été le plus sage de tous. Bien évidemment, le patient sait toujours. Mon père avait dû se douter de ce qu'il en était avant même que le médecin ne le sache. Après tout, c'est lui qui habitait ce corps qui le lâchait.

« Je ne vais pas mieux. » Mon père se couvrit le visage de ses mains, puis les écarta lentement comme s'il ouvrait un livre. « Et quand une personne est malade, soit elle va mieux, soit elle va mourir. »

Il prononça ces mots d'une manière si désinvolte et avec si peu de contrariété que ma tristesse s'en trouva momentanément allégée.

« Que voudrais-tu qu'il arrive quand je ne serai plus là ? demanda-t-il directement à ma mère. Voudrais-tu rester dans la maison ou la vendre et t'installer dans un appartement ?

— Je n'irai nulle part », répondit-elle d'un air de défi.

Une traînée de sueur apparut sur ses lèvres quand elle prit la parole. J'approuvai son refus de s'embarquer pour un monde inconnu, d'imaginer une autre vie, après celle de son mari.

« La maison est trop grande pour que tu y vives seule, poursuivit mon père, terre à terre. Il faudrait que quelqu'un vienne vivre avec toi. »

Je gardai les yeux fixés sur la fine feuille de plastique qui recouvrait la nappe brodée d'hibiscus de ma mère. Mon père était-il en train de nous préparer ? De nous réconforter ? De nous montrer que nous ne devrions pas nous inquiéter pour lui, ou tentait-il de nous dire qu'il était prêt pour ce qui l'attendait ?

« Pop. » Bob se frotta les yeux de ses poings serrés, puis leva les mains pour attirer l'attention de mon père. Pendant que je regardais fixement la nappe, il avait pleuré.

« Pop, est-ce que je peux te poser une question ? » Les larmes coulaient sur le visage de Bob. Il était sans

aucun doute le mieux charpenté, mais aussi le plus
ouvertement émotif de mes trois frères, Karl étant le
plus pondéré et Kelly le plus réservé.

« Quelle est ta question ? demanda mon père dont
les yeux devenaient humides, bien qu'il fît de son
mieux pour retenir ses larmes.

— As-tu bien profité de la vie ? » lui demanda Bob,
en faisant une pause entre chaque mot comme pour
mieux faire ressortir leur poids et leur sens.

Je baissai la tête de nouveau, absorbant le silence
qui suivit la question, cette sorte de calme qui contraint soudain à faire attention à toutes ces choses qui,
sans lien entre elles, vous entourent : la carcasse d'une
mouche morte prise au piège dans le grillage de la
fenêtre, les traces de doigts sur le plastique de la
nappe, le tintement de l'horloge géante dans la pièce
voisine, le désir pressant que quelque chose, même
une explosion, survienne pour rompre le silence.

« Je ne sais pas quoi répondre à cela. » Mon père
prit sa respiration, ce qui lui demanda un gros effort et
le contraignit à se tordre le visage en un genre de
grimace. « Je ne me souviens pas – je ne peux pas me
souvenir – de tous les moments. Mais ce que je peux
dire, c'est ceci. Je n'ai jamais profité de la vie en
termes de fêtes et de gloire. Je n'ai pas visité beaucoup
d'endroits et je n'ai pas fait tant de choses que cela,
mais j'ai eu une bonne vie. »

Mon père se mit à énoncer ce qu'il considérait
comme ses plus grandes réussites dans l'existence :
Kelly, Karl, Bob et moi, ainsi que ses trois petits-

enfants, Ezekiel, âgé de cinq ans, Zora, deux ans, les enfants de Karl, et Nadira, cinq ans, la fille de Bob.

« Vous, mes enfants, vous ne m'avez pas fait honte, continua-t-il. Je suis fier de cela. Les choses auraient pu être si différentes. Edwidge et Bob, votre mère et moi vous avons laissés pendant huit ans en Haïti. Kelly et Karl, vous avez grandi ici, dans ce pays que ni votre mère ni moi ne connaissions très bien quand nous vous avons eus. Vous auriez pu mal tourner, mais cela n'est pas arrivé. Je remercie Dieu pour cela. Je remercie Dieu pour vous tous. Je remercie Dieu pour votre mère. » Puis, tournant son regard vers Bob, il ajouta : « Oui, on peut dire que j'ai bien profité de la vie. »

En écoutant mon père, je me suis souvenue du jour où je rêvais de lui dérober ses mots. J'avais huit ans et Bob et moi vivions en Haïti avec son frère aîné, mon oncle Joseph, et sa femme. Et comme ils n'avaient pas le téléphone chez eux − peu de familles haïtiennes l'avaient alors − et que les communications depuis les centres d'appel coûtaient cher, nous n'avions pas d'autre choix que d'écrire. Tous les deux mois, mon père envoyait une demi-page, une missive de trois paragraphes adressée à mon oncle. Gribouillées dans son écriture minuscule, parfois sur du simple papier blanc, de temps en temps sur les pages à rayures d'un carnet arrachées à leur reliure en spirale, les lettres de mon père étaient écrites en français dans un style guindé, avec un premier paragraphe qui donnait des nouvelles de la santé de ma mère et de la sienne ; le second indiquait en détail comment utiliser l'argent qu'il avait envoyé pour la nourriture, le logement et les dépenses scolaires pour Bob et moi, la troisième partie concluant brusquement après nous avoir assuré qu'il se manifesterait de nouveau avant peu.

Plus tard, je découvris pendant un cours de rédaction en première année d'université que ses lettres avaient été écrites selon la séquence en losange de la *Poétique* aristotélicienne de la correspondance, avec une ouverture de bienvenue, au centre des renseignements ou une requête, et un bref au revoir à la fin. La rédaction de ces lettres avait été une réelle corvée pour mon père et il s'en acquittait hâtivement tout en rassemblant l'argent qui allait servir à notre survie, et cette formule épistolaire particulière, qu'il avait suivie inconsciemment, lui avait offert un moyen commode de contrôler ses émotions.

« Je n'étais pas un écrivain, me raconta-t-il plus tard. Ce que j'aurais voulu te dire à toi et à ton frère était trop gros pour tenir sur une feuille de papier et dans une petite enveloppe. »

Quelle que soit la retenue dont mon père faisait preuve dans ses lettres, elle était sans aucun doute compensée par les réactions qu'elles entraînaient chez mon oncle Joseph. D'abord il y avait la lecture publique dans le séjour rose au modeste mobilier, devant Tante Denise, Bob et moi. Elle avait pour but d'éviter tout malentendu quant à l'utilisation de l'argent que mes parents envoyaient pour Bob et moi. Généralement mon oncle lisait la lettre à haute voix, en s'arrêtant de temps à autre pour me demander de l'aider à déchiffrer la calligraphie de mon père – une gentillesse, pensais-je, un moyen de m'impliquer dans la démarche. Il devint bientôt évident, cependant, que je décryptais l'écriture de mon père avec d'autant plus d'aisance qu'elle ressemblait à la mienne et c'est à moi que revint par la suite le travail de déchiffrage de ses lettres.

De pair avec cette tâche venaient quelques minutes de préparation avant la lecture et donc quelques instants d'intimité avec les lettres de mon père, non seulement avec les mots et les expressions qui ne changeaient guère d'un mois sur l'autre, mais avec les voyelles et les syllabes, leur inclinaison, qui, elles, variaient. Comme il écrivait très peu, j'essayais de deviner ses pensées et ses humeurs d'après la manière dont il faisait le point sur ses *i* et la barre de ses *t*, à la présence de véritables points à la fin de ses phrases ou juste de petites marques là où la pointe de son stylo était simplement tombée. Les virgules coupaient-elles ses expressions à point nommé, ou étaient-elles saccadées, comme quelqu'un qui parle trop rapidement, hors d'haleine ?

Durant les lectures familiales, je récitais les lettres de mon père sur un ton monocorde, respectant ainsi ce que j'interprétais comme un secret entre nous, le style impersonnel de ses lettres étant dû autant à son manque de foi dans les mots et dans leur aptitude à reproduire avec exactitude ses émotions qu'aux précautions qu'il prenait avec les sentiments de Bob et les miens.

Il évitait en effet les nouvelles trop heureuses qui auraient pu renforcer l'angoisse de la séparation, les nouvelles trop tristes qui auraient pu nous inquiéter, et toute trace de jugement ou de désapprobation à l'égard de ma tante et de mon oncle, qu'ils auraient pu interpréter comme des sous-entendus signifiant qu'ils nous traitaient mal. Les lettres froides et sans émotions étaient son moyen d'éviter un champ de mines qu'il aurait pu déclencher de loin sans être en mesure de venir au secours des victimes.

Etant donné toute cette anxiété, je m'étonne que mon père ait pu même écrire. La régularité, la cohérence de sa correspondance m'apparaissent à présent comme un acte de bravoure. Par contraste mes réponses, bien que moins routinières – c'est Oncle Joseph qui écrivait le plus souvent –, étaient d'un optimisme laborieux et m'offraient en même temps l'occasion d'énoncer mes souhaits. Dans mes lettres, je me glorifiais de mes bonnes notes et demandais une récompense, une poupée américaine pour Noël, une machine à écrire ou une machine à coudre pour mon anniversaire, une paire de « vraies » boucles d'oreilles en or pour Pâques. Mais je craignais d'exprimer mes désirs les plus profonds, comme celui de le revoir, lui et ma mère. Cependant, comme mon oncle lisait toutes mes lettres pour en corriger les fautes de grammaire et d'orthographe, j'écrivais pour ses yeux plus que pour ceux de mon père, dans l'espoir que même après cette révision vigoureuse, mon père parviendrait à décoder la nostalgie dans les pleins et les

déliés de mon écriture cursive d'enfant qui ressemblait
tant à la sienne.

Les mots que mon père et moi voulions échanger,
jamais nous ne les avons écrits. Ces lettres n'eurent pas
à être approuvées, par lui-même dans son cas, par
mon oncle dans le mien. Quelle qu'en fût la raison,
nous avons été tous les deux paralysés par la peur de
briser le cœur de l'autre. C'est pourquoi je n'aurais
jamais pu poser la question que Bob avait posée. Et
que je n'ai pas pu dire à mon père ce que le médecin
m'avait appris sur sa mort prochaine. Même lorsque
l'enjeu était moindre, il y avait des choses que lui et
moi avions peur de dire.

Quelques jours après cette réunion familiale, mon
père appela mon oncle Joseph en Haïti, pour prendre
de ses nouvelles. Nous étions le jeudi 15 juillet 2004,
le cinquante et unième anniversaire de Jean-Bertrand
Aristide, le président de Haïti deux fois élu et deux
fois destitué. Ayant été chassé du pouvoir en février
2004 à la suite d'une intervention politique conjointe
de la France, du Canada et des Etats-Unis, Aristide
célébrait maintenant son anniversaire en exil en Afri-
que du Sud. Cependant, les habitants de Bel Air, le
quartier où j'ai grandi et où mon oncle vivait encore,
ne l'avaient pas oublié. Rassemblés avec d'autres
partisans d'Aristide, près de trois mille d'entre eux
avaient défilé à travers la capitale haïtienne pour réclamer son retour. La manifestation fut dans l'ensemble
pacifique, mais, selon les reportages que mon père et

moi avions vus ensemble à la télévision ce soir-là, deux policiers avaient été abattus. Mon père appela mon oncle, comme il le faisait toujours quand des événements semblables se produisaient en Haïti. Il était assis sur son lit, la tête maintenue par deux oreillers bien fermes, le visage tourné vers la fenêtre de la chambre, ce qui lui permettait d'avoir une vue de biais sur un lampadaire de la rue.

« Es-tu sûr qu'il dort ? » demanda mon père à la personne qui avait répondu au téléphone dans la maison de mon oncle à Bel Air.

Mon père mit sa main sur le micro du combiné, pencha son visage vers moi et murmura : « Maxo. »

Je compris qu'il parlait au fils d'Oncle Joseph, Maxo, qui avait quitté Haïti au début des années 1970 pour faire ses études à New York, puis était revenu en 1995. Bien que j'aie passé la plus grande partie de mon enfance avec Nick, son fils, je ne connaissais pas aussi bien Maxo.

« Est-ce que tu ne crois pas que le moment est venu pour ton père de quitter Bel Air ? » demanda mon père à Maxo.

Quand il raccrocha, il parut déçu de ne pas avoir pu parler à Oncle Joseph. Depuis de nombreuses années, cette question avait été un sujet très épineux entre mon père et mon oncle : mon père désirait que mon oncle quitte sa maison et aille s'installer ailleurs – n'importe où – en Haïti, mais mon oncle refusait d'envisager toute idée de déménagement. J'imaginai maintenant mon père souhaitant dire à son frère de quitter Bel Air, mais cette fois non pas pour les raisons qu'il mettait d'habitude en avant — les manifestations continuelles, les descentes de police et les guerres des gangs armés qui lui causaient tant de soucis — mais parce que mon père était mourant et qu'il voulait que son frère aîné soit en sécurité.

J'écris ces choses aujourd'hui, certaines parce que j'en ai été le témoin et qu'elles me reviennent en mémoire, d'autres à partir de documents officiels ainsi que d'après les souvenirs recueillis auprès de membres de la famille. Mais l'essentiel m'a été raconté au fil des ans, en partie par mon oncle Joseph, en partie par mon père. Certaines m'ont été révélées spontanément, sans grandes précisions. D'autres m'ont été rapportées avec plus de détails. Ce que j'ai appris de mon père et de mon oncle m'est parvenu par séquences et par bribes. Je tente ici de retrouver la cohérence du tout, de recréer ces quelques mois merveilleux et terribles durant lesquels leurs vies et la mienne se sont croisées de manière surprenante, me forçant à regarder en même temps devant et derrière moi. J'écris ceci seulement parce que eux ne le peuvent pas.

Mon frère, je vais mourir

Quelque chose se brisa la première fois que mon oncle Joseph rencontra sa femme, en mai 1946. L'aube pointait à peine, un petit matin gris sur les collines bleu-vert de Beauséjour. Le soleil se levait lentement, transperçant de son feu le brouillard qui se mêlait aux nuages au-dessus des plus hautes cimes des montagnes. Mon oncle, visage ovale, avec sa pousse de cheveux en V sur le front, moustachu et rondelet comme il le restera pendant la plus grande partie de sa vie, descendait le long sentier sinueux qui menait du village où il vivait avec ses parents et cinq frères et sœurs cadets, au bourg dans la vallée en contrebas. Il avait quitté la ferme familiale avec un mulet chargé de carottes, de plantains et de pois d'Angola fraîchement récoltés qu'il prévoyait de vendre au marché. Etant en retard, il tapotait de temps à autre la croupe de l'animal pour l'encourager à forcer l'allure. En vain. Le mulet était fatigué et semblait vouloir s'arrêter pour renifler chaque carré d'herbe chargée de rosée et les rochers boueux qu'il rencontrait sur son chemin.

Oncle Joseph s'exaspérait lorsqu'il remarqua une jeune femme sur le même sentier. Avec ses hautes pommettes et ses lèvres boudeuses, elle avait l'air d'un modèle de calendrier ou d'une reine de carnaval. Elle était vêtue d'une fine robe de coton, qui lui collait au corps à cause du bain matinal qu'elle venait de prendre dans un ruisseau tout proche. Sur la tête, elle portait une calebasse brune, fermée avec un morceau d'épi de maïs séché. La calebasse reposait sur une étoffe roulée pour former une base. Ignorant le mulet, il s'arrêta pour la regarder. C'était une des plus jolies femmes qu'il eût jamais vues depuis sa naissance, vingt-trois ans plus tôt. Comment se faisait-il qu'il ne l'ait pas remarquée au cours de toutes ses allées et venues de la ferme au marché?

Sans surveillance, le mulet s'aventura dans un jardin voisin et renversa une partie de la marchandise de mon oncle. La jeune femme fut la première à l'apercevoir alors qu'il piétinait une rangée de jeunes cacaoyers. Elle se précipita vers l'animal. Son corps se balança d'avant en arrière, ses bras s'agitèrent en tous sens et elle laissa tomber sa calebasse remplie d'eau qui se brisa.

Mon oncle proposa de lui payer la calebasse. Elle lui répondit que ce n'était pas nécessaire, mais il parvint à lui faire accepter quelques sous, beaucoup plus que ce que valait la calebasse.

« C'est comme ça que nous avons commencé à

parler, Denise et moi, me raconta un jour mon oncle. Chaque fois que j'allais au marché par la suite, il fallait que je la voie. Nous avons parlé et parlé pendant des mois, puis nous avons décidé d'agir. »

Leur première décision fut, au début de l'année 1947, d'aviser leur famille qu'ils partaient dans la capitale ensemble. L'aînée des sœurs de mon oncle, ma tante Ino, vivait déjà à Bel Air, un quartier situé sur une colline dominant la rade de Port-au-Prince, et ils décidèrent de s'y installer.

Bien qu'ils ne fussent pas mariés, ils achetèrent une parcelle de terre ensemble et construisirent une maison en ciment, de trois pièces, couverte d'un toit de tôle ondulée. La maison comportait une vaste véranda extérieure atteignant l'allée qui s'incurvait vers l'artère principale, la rue Tirremasse. Toute la maison était peinte en rose saumon, tant à l'extérieur qu'à l'intérieur, à l'exception des sols couverts de carreaux de terre cuite.

La colline de Bel Air sur laquelle la maison était construite avait été le théâtre d'une célèbre bataille opposant des abolitionnistes mulâtres et des colons français qui contrôlaient la plus grande partie de l'île depuis 1697 et avaient importé des Noirs africains pour travailler comme esclaves dans les plantations de café et de canne à sucre. Un siècle plus tard, les esclaves et les mulâtres s'unirent pour chasser les Français et, le 1er janvier 1804, fondèrent la république de Haïti.

Quelque cent dix ans plus tard, alors que la Première Guerre mondiale allait éclater et que les Français, les Britanniques et les Allemands qui contrôlaient le transport maritime de Haïti rassemblaient leurs vaisseaux de guerre pour protéger leurs biens, le président Woodrow Wilson, dont les intérêts comprenaient, entre autres, la United Fruit Company et quarante pour cent des réserves de la banque nationale de Haïti, donna l'ordre d'envahir le pays. Lorsque les Marines américains débarquèrent en Haïti en juillet 1915 pour une occupation qui allait durer dix-neuf ans, les guérilleros haïtiens, les Cacos, organisèrent des attaques contre les forces américaines depuis Bel Air. Bel Air s'enorgueillissait de posséder une des plus vieilles et des plus belles cathédrales de l'île, ainsi qu'un des meilleurs établissements scolaires publics pour garçons, le lycée Pétion, en hommage à Alexandre Pétion, l'un des chefs de la lutte pour l'indépendance contre les Français et un des mentors du Vénézuélien Simón Bolívar.

Lorsqu'il s'installa pour la première fois à Bel Air, mon oncle trouva un travail de vendeur dans la boutique de tissus d'un émigré syrien dans le centre-ville de Port-au-Prince. Puis il se lia d'amitié avec un de ses collègues, un émigré cubain du nom de Guillermo Hernandez, qui devint bientôt son meilleur ami. Quelques mois plus tard, mon père, qui avait alors douze ans, quitta Beauséjour et gagna la capitale pour aller à l'école. Mes tantes Zi et Tina et Oncle Franck les rejoignirent plus tard, emmenant avec eux mes grands-parents, Granpé Nozial et Granmé Lorvana, qui vinrent habiter chez Tante Ino, l'aînée des filles. Encouragés par mon oncle, presque tous ceux qu'ils connaissaient vivaient alors à Bel Air. Tante Denise et lui agrandirent à plusieurs reprises leur maison, toujours rose, jusqu'à ce qu'elle eût six chambres. Ainsi, quand naquit leur fils Maxo, en 1948, il y avait une chambre pour lui. Et, en 1952, on trouva également de la place, lorsque la femme haïtienne de Guillermo Hernandez mourut et que son ami cubain dut élever seul un bébé âgé de six mois. C'est Guillermo qui demanda à mon oncle et à Tante Denise de s'occuper de sa fille, Marie Micheline, le temps qu'il retourne à Cuba pour une visite, voyage dont il ne revint jamais.

Le héros d'Oncle Joseph dans les années 1950 était un homme politique du nom de Daniel Fignolé. Oncle Joseph aimait à raconter comment, alors qu'il était jeune député, Fignolé se rendit dans un hôpital public de Port-au-Prince et, découvrant des pauvres couchés sur le sol tandis que des riches se reposaient dans des lits, il força les riches à quitter les lits qu'il donna aux pauvres. Peu après l'installation de mon oncle à Bel Air, Fignolé créa le Mouvement ouvrier-paysan auquel mon oncle adhéra. Pendant des années, lui et Tante Denise accueillirent les sympathisants de Fignolé qui tenaient régulièrement chez mon oncle des réunions, assemblées pleines d'entrain durant lesquelles on consommait en grandes quantités l'alcool fait maison – le kleren – et la nourriture préparée par Tante Denise que chacun dans le cénacle s'accordait à considérer comme l'une des meilleures cuisinières de Bel Air. Quand venait le moment de s'adresser à la cinquantaine de participants rassemblés dans sa salle de séjour rose, dont le mobilier était réduit au strict minimum de façon à recevoir le plus grand nombre de Fignolistes, qui souvent apportaient leur propre siège, il prenait modèle sur Fignolé, adoptant une diction créole énergique et directe, et parlait d'un ton clair aux basses puissantes, en intercalant dans son discours quelques pauses choisies avec soin.

« Nous luttons depuis que nous sommes devenus une nation indépendante en 1804, rappelait mon oncle. Certains pensent que pour que ce pays prenne le chemin du progrès, seule la riche minorité a besoin de réussir. Ce pays ne peut pas aller de l'avant sans la majorité. Sans nous. »

De tels propos n'allaient guère bouleverser le monde, mais il se considérait plus comme un disciple que comme un chef. Il lui suffisait de répéter en écho les expressions favorites de Fignolé pour être applaudi.

Dans ses discours adressés au groupe, mon oncle évoquait son père, Granpé Nozial, qui avait jadis lutté contre l'invasion américaine au sein de la guérilla et était souvent resté loin de chez lui pour mener son combat en s'efforçant de préserver ses jeunes enfants des conséquences de son engagement. Granpé Nozial avait laissé à mon oncle, l'aîné, bien qu'encore un enfant, la responsabilité de veiller sur sa mère, ses frères et sœurs pendant des semaines et des mois de suite. Chaque fois que son père partait en campagne, mon oncle était rongé d'inquiétude à la pensée que son père, comme les milliers de guérilleros haïtiens tués par les Américains et dont les corps étaient jetés sur les routes et dans les parcs publics pour décourager les autres, pourrait ne jamais revenir.

« Les hommes de la génération de mon père se battaient avec tout leur courage », déclarait mon oncle d'une voix soigneusement modulée en s'adressant aux Fignolistes rassemblés dans sa salle de séjour. Assis au premier rang sommeillait son père, Granpé Nozial, qui, à présent veuf, paraissait plus vieux que ses soixante-cinq ans, avec ses épaules voûtées, son corps, jadis musclé, maintenant usé et fatigué, sa tête allant d'avant en arrière.

« Mais pour l'essentiel, poursuivait mon oncle, ces hommes utilisaient leurs mains et des armes désuètes. Ils se servaient de vieux fusils à verrou, les Krag, de lance-pierres, de machettes et de lances. Ils se servaient de toutes les armes qu'ils pouvaient trouver ou fabriquer. Maintenant nous voulons lutter pour le progrès. Nous voulons lutter avec notre esprit. C'est là que réside le vrai pouvoir. »

A cette époque, le président de Haïti était Paul Magloire, un général de l'armée de terre qui avait évincé du pouvoir deux de ses prédécesseurs. Surnommé Kanson Fé, Caleçon de fer, parce que, dans un de ses discours, il avait déclaré qu'il devait mettre un « caleçon de fer » pour venir à bout des fauteurs de troubles, il avait eu droit à la couverture de *Time* du 22 février 1954, en grand uniforme d'apparat, avec en sous-titre : « LE PRÉSIDENT DE HAÏTI PAUL MAGLOIRE. Sa magie noire : routes, barrages, écoles. »

En 1956, Magloire se retira après une grève nationale par laquelle la population, entre autres, exprimait son mécontentement croissant devant ses folles dépenses. Outre les routes, barrages et écoles, il s'avéra qu'il dépensait des sommes considérables dans des soirées somptueuses, des visites officielles et des commémorations de célèbres batailles haïtiennes reconstituées à grands frais, tout cela pour son propre plaisir et celui d'un petit cercle d'amis aux goûts semblables. Fignolé était un de ses successeurs possibles parmi de nombreux candidats, tous sur une pente glissante. Le 25 mai 1957, alors que Fignolé prêtait serment, mon oncle et mon père faisaient partie de l'immense foule qui se précipita devant le palais national pour célébrer l'événement en dansant. Cependant, après seulement dix-neuf jours, Fignolé fut déposé par l'armée et contraint à l'exil. C'est François « Papa Doc » Duvalier qui devint président. En se réveillant le matin suivant, Tante Denise trouva Oncle Joseph en larmes dans leur lit. (Mon père, qui avait alors vingt-deux ans, n'a aucun souvenir de sa réaction à cet événement et se rappelait uniquement celle de mon oncle qui était « triste ».)

Avant la chute de Fignolé, mon oncle avait brièvement songé à une carrière politique, comme député de Bel Air ou maire de Port-au-Prince. Après l'éviction de Fignolé, il se rendit compte de la précarité du pouvoir politique et abandonna toute envie d'y participer.

Ayant le sentiment d'un vide idéologique, il adhéra à une congrégation baptiste à laquelle appartenait l'un de ses amis et passait son temps libre à l'église plutôt qu'aux manifestations et réunions. Les baptistes offraient la promesse d'une existence paisible et stable. Ils interdisaient tant de choses, notamment de fumer et de boire de l'alcool, qu'il restait peu de risques qu'un jeune garçon ait des ennuis. Les baptistes interdisaient également l'union libre, aussi, après avoir vécu dix ans ensemble, lui et Tante Denise se marièrent finalement au cours d'une cérémonie religieuse, après quoi il devint diacre de l'église. Il suivit ensuite des cours pour devenir pasteur et, pendant ses études, se lia d'amitié avec un groupe de missionnaires américains venant régulièrement en Haïti. Il était désireux de créer sa propre église et une école. Il conservait à l'égard des Américains une certaine méfiance, née de ses souvenirs de l'occupation américaine, mais les missionnaires cherchaient à lancer une opération dans son quartier. N'ayant pas assez d'argent pour mener à bien son projet seul, il leur proposa son idée. Ils lui offrirent des fonds pour la construction du bâtiment, l'achat des tableaux et des bancs et lui promirent une contribution mensuelle lui permettant d'offrir des déjeuners gratuits aux élèves.

Mon oncle acheta un autre terrain à Bel Air et passa ses soirées à dresser des plans, puis à construire son église. Lorsque le bâtiment commença à sortir de terre, il allait visiter les lieux tous les jours, avant et après son travail dans le magasin où il vendait des tissus. Il entassait des briques et gâchait du ciment, plantait des clous avec les ouvriers. Il voulait avoir l'impression d'engager plus que son âme et son cœur dans l'entreprise : d'y engager aussi ses mains et ses pieds, d'y travailler physiquement. Comme il croyait que l'église l'avait racheté, l'avait sauvé d'une série de choix risqués, il la nomma l'Eglise chrétienne de la Rédemption. Le bâtiment, aux pièces en alignement et au toit à pignons, utilisé pendant la semaine comme salle de classe et cafétéria, servirait aussi, espérait-il, au rachat d'autres personnes.

J'ai passé mon enfance, de quatre à douze ans, dans cette maison et je me souviens de la voix cassante et claire de mon oncle ; profonde et ferme, voilée et sonnante lorsqu'il était en colère, métallique et assourdie quand il était triste. Lorsqu'il commença à prononcer des sermons, se rappelait mon père, des sermons qui exigeaient qu'il exprimât un large éventail d'émotions en une heure ou moins, mon oncle produisait le même effet sur sa centaine de paroissiens que sur ceux qui s'étaient entassés dans sa salle de séjour pour l'écouter parler de Fignolé. Nombre d'entre eux étaient du reste les mêmes personnes et s'étonnaient de la passion qu'il parvenait à éveiller en eux dans l'église.

« Ses prêches avaient un style très direct, se souvenait mon père. Il parlait beaucoup d'amour. L'amour de Dieu, l'amour que nous devrions avoir les uns pour les autres. Il connaissait tous les versets sur l'amour. Parfois je fermais les yeux et je me demandais si je serais venu l'entendre s'il n'avait pas été mon frère et je me voyais obligé de répondre par l'affirmative. Oui, il aurait fait un excellent homme politique, mais mon frère était encore meilleur prédicateur. »

Mais un jour de novembre 1977, alors qu'il prononçait un sermon assez long pour commémorer l'anniversaire de l'église, la voix de mon oncle se mit à chevroter, puis à s'érailler. Il poussa un cri aigu d'adolescent, puis l'instant d'après ne put qu'émettre un gémissement. Sa gorge et ses gencives lui causaient des élancements douloureux. Le jour suivant, il alla voir le dentiste du quartier qui lui déclara qu'il fallait lui arracher toutes ses dents et les remplacer par un dentier.

Sa voix ne s'étant pas améliorée même une fois ses dents enlevées, il alla voir plusieurs médecins. Ils ne lui trouvèrent rien d'anormal, aussi alla-t-il voir des herboristes, comme ses parents et grands-parents l'avaient fait avant lui. C'était après tout un enfant de la campagne – nou se moun món – et il avait été soigné à base de racines et de feuilles presque toute sa vie. Mais les herboristes furent incapables de trouver un remède. Entre-temps sa voix devenait de plus en plus inaudible et sa gorge continuait à le faire souffrir.

Un après-midi du printemps de 1978, il écoutait la radio lorsqu'il entendit parler d'un hôpital du sud de Haïti qui travaillait en liaison avec une station de radio, Radio Lumière. Des médecins américains venaient à l'hôpital et tous ceux qui le désiraient pouvaient venir consulter. Mon oncle décida aussitôt d'aller les voir.

Après une longue journée de voyage pénible sur des routes rocailleuses et défoncées, le camion dans lequel il avait pris place tomba en panne en début de soirée. Près du village de Gros Marin, il entra dans une petite maison de deux pièces au bord de la route et demanda à une paysanne s'il pouvait passer la nuit sur son sol de terre battue. L'accueil immédiat qu'il reçut, si typique des gens de la campagne haïtienne, lui rappela son enfance. Couché sur une natte de palme et sur l'un des meilleurs draps que possédait cette femme, il pensa au travail des champs durant son enfance et aux classes sans murs ni portes où il apprenait ses leçons assis par terre. Il se souvint de la silhouette fine mais bien charpentée de son père. Sa vie d'agriculteur et de combattant avait tant durci ses bras qu'il pouvait vous mettre KO d'une seule claque sans même avoir à regarder dans votre direction. Il pensait aux Marines américains dans leur tenue kaki qui, lui avait-on raconté, tendaient des embuscades aux guérilleros de la résistance comme son père au milieu de la nuit en se noircissant le visage. Les Américains avaient rétabli le travail forcé pour construire des ponts et des routes et arraché de leur foyer des hommes robustes comme son père et des jeunes garçons comme lui. Ils eurent la chance d'en réchapper. Granpé Nozial était si déterminé à ne pas se faire prendre que lorsqu'il était loin de la maison, il dormait avec une machette affûtée sous son oreiller.

Le lendemain matin, mon oncle fut réveillé en sur-saut par le bruit du balai de sisal avec lequel la femme nettoyait sa cour entourée de cactus. Ce doux bruit et l'odeur parfumée du café dissipèrent ses craintes et le remplirent d'espoir. La femme lui présenta une cu-vette émaillée pleine d'eau froide pour qu'il se lave le visage et une poignée de menthe pour qu'il brosse son dentier qu'elle avait pris pour ses vraies dents. Puis elle lui donna un morceau de pain fendu, qu'on aurait dit fait d'une pâte percée d'une douzaine de trous de pic à glace. Le pain, soigneusement enveloppé dans un morceau de mousseline, était posé sur une assiette qui recouvrait une tasse métallique emplie de café noir sucré. La faim le tenaillait, il avala le pain et le fit passer avec le café. Il remercia la femme pour sa gentillesse et son hospitalité et, dans l'air qui avait gardé la fraîcheur de la nuit, le soleil encore très bas sur l'horizon, il poursuivit son chemin.

Il dut patienter longtemps dans la cour de l'hôpital. Autour de lui, des centaines de personnes attendaient, tapies à l'ombre du bâtiment de béton, assises sur leurs talons sous les amandiers géants. Il était avec des hommes et des femmes souffrant de tuberculose, de malaria, de la fièvre typhoïde et d'autres maladies moins identifiables. Il lui avait fallu une bonne partie de la matinée pour aller à pied de la maison de la femme de Gros Marin jusqu'à l'hôpital de Bonne Fin. Il attendit dans la chaleur du soleil jusqu'au milieu de l'après-midi, en sueur, affamé et assoiffé, espérant qu'on ne le renverrait pas.

Enfin, il fut examiné par une infirmière et placé parmi les cas les moins urgents. Quand arriva son tour, l'un des praticiens en visite, un Blanc de haute taille, lui appuya sur la langue avec une fine palette de bois et lui dit qu'il voyait une grosseur en haut de son larynx. Cette masse pouvait être une tumeur, lui expliqua le médecin avec l'intermédiaire d'un interprète, et si on ne l'ôtait pas, elle pourrait un jour bloquer les voies respiratoires et l'étouffer. Il voulait faire une biopsie sans tarder, ajouta le médecin.

« Est-ce que vous pouvez l'enlever ? demanda mon oncle.

— Pour le moment nous nous contenterons de faire la biopsie, répondit l'interprète. Nous prélevons un fragment, pas toute la grosseur, mais lorsque toute la masse sera retirée, il se peut que vous perdiez votre voix. »

Abasourdi, mon oncle demanda de nouveau, juste pour être certain : « Est-ce que je vais perdre ma voix aujourd'hui ?

— Nous ne procéderons qu'à la biopsie aujourd'hui », répéta le médecin.

Avant que mon oncle pût demander ce qu'était une biopsie, l'interprète, un médecin haïtien, ajouta : « Il faut que vous les laissiez prélever un morceau de la grosseur que vous avez dans la gorge pour qu'on sache si c'est cancéreux. C'est peut-être votre dernière chance. »

Pendant la biopsie, pour laquelle mon oncle n'eut pas droit à une anesthésie différente de ce qu'il aurait pu avoir dans un cabinet de dentiste pour se faire arracher un dent, il ouvrit tant la bouche qu'il ressentit des élancements dans le visage et le cou. Allongé là, tandis que le médecin lui découpait un morceau de chair dans le fond de la gorge, il aurait voulu pouvoir retourner chez lui pour avoir une dernière conversation avec sa femme. Il aurait voulu prononcer un dernier sermon à sa congrégation, parler au téléphone avec son fils et mon père à New York.

Ce soir-là, après la biopsie, mon oncle resta dans un lit d'hôpital, incapable de parler. Sa voix lui reviendrait-elle un jour ? Il écrivit cette question sur des petits bouts de papier que lui donnaient les infirmières. Elles lui répétèrent une fois de plus que cette fois-ci elle reviendrait, mais probablement pas après la véritable opération.

Le lendemain matin, le médecin lui expliqua par le truchement d'un autre interprète que la tumeur était cancéreuse. Il lui fallait une laryngectomie. Ses cordes vocales seraient par là même enlevées. Oui, il perdrait très certainement sa voix.

Quand les médecins s'éloignèrent de son lit, mon oncle se rendit compte que quelqu'un dans le lit voisin avait un petit transistor réglé sur la même station où il avait pour la première fois entendu parler des médecins américains. La station émettait d'un studio situé dans les locaux de l'hôpital et le son parvenait net et clair. Sur les ondes, il entendit parmi des annonces de personnes disparues et d'objets perdus une voix qui disait : « Révérend Joseph Nosius, s'il vous plaît, rentrez chez vous. Votre famille s'inquiète pour vous. »

Mon oncle fixait le plafond en se demandant si les médecins avec leur « biopsie » ne lui avaient pas fait plus de mal que de bien quand il entendit la voix à la radio. Cela lui rappela combien la voix était importante. Si vous en aviez une, vous pouviez l'utiliser pour joindre vos proches, aussi loin soient-ils. Les progrès techniques pouvaient être utiles – le téléphone, la radio, les micros, mégaphones et autres amplificateurs. Mais si vous n'aviez plus de voix du tout, songea-t-il, vous vous retrouviez simplement en dehors du bourdonnement constant du monde, de l'écho des conversations, des bruits et des murmures de la vie quotidienne.

Alors qu'il restait là, à écouter les autres patients parler avec les médecins et les infirmières, aux membres de leur famille et entre eux, il lui vint soudain à l'esprit qu'après l'opération il ne serait plus jamais capable de faire un sermon, ni de crier pour appeler au secours, ni de rire à pleine gorge d'une bonne blague. Il savait aussi qu'il devait faire savoir à Tante Denise qu'il était encore en vie.

Lentement il se redressa sur son lit et écrivit un court message sur un papier laissé sur sa table de chevet et le donna à l'une des infirmières afin qu'elle le porte à la station de radio pour lui. Le message demandait simplement si on pouvait faire savoir à sa femme qu'il était à l'hôpital, qu'il allait bien et qu'il rentrerait bientôt à la maison.

Lorsque les médecins revinrent le voir dans l'après-midi, ils lui dirent qu'ils ne pouvaient pas l'opérer et enlever la tumeur. La grosseur était trop importante et ils ne disposaient pas des instruments nécessaires pour mener à bien l'opération. Ils lui demandèrent s'il avait de la famille ou des amis à l'étranger. Il répondit que son fils et son frère, mon père, habitaient New York. Le médecin lui laissa une copie de son dossier médical et lui écrivit une lettre à emporter au consulat américain demandant un visa pour les besoins d'une opération chirurgicale.

Quand mon oncle rentra chez lui à Bel Air et, que, d'une voix plus rauque qu'à son départ, il tenta d'expliquer le diagnostic à sa femme, à ses ouailles et même au téléphone à mon père et à Maxo chez qui il envisageait de séjourner à New York, personne ne put le comprendre tout à fait. Aucun de nos parents ne savait ce qu'était une laryngectomie. Nous ne connaissions personne qui ait eu un cancer. Quant à perdre sa voix de façon permanente, cette éventualité paraissait si éloignée qu'elle semblait presque une malédiction et, comme certains des membres de la congrégation de mon oncle l'affirmaient, il n'y avait que des médecins américains pour traverser l'océan et vous l'infliger. Les gens naissaient muets ou non. Ils ne devenaient pas muets, sauf temporairement à la suite d'un choc violent. D'habitude, ces cas pouvaient être traités avec des herbes médicinales. Pourquoi pas celui de mon oncle ?

Pour mettre tout le monde à l'aise, mon oncle déclara que les médecins de New York en sauraient vraisemblablement plus. Peut-être découvriraient-ils d'autres choix, d'autres solutions ? Néanmoins, il rassembla tous ses papiers − les titres de propriété de ses terrains, les certificats de naissance de tous −, rédigea un testament et confia le tout à la fille de son ami, Marie Micheline, qui avait alors vingt-six ans et qu'il avait adoptée. Il tenait beaucoup à emmener Tante Denise avec lui à New York, mais il y avait deux problèmes. D'abord elle avait une peur bleue de prendre l'avion. Puis, comme la probabilité, s'il emmenait son épouse avec lui, qu'il ne veuille plus retourner en Haïti augmentait, la demande de visa pour sa femme fut rejetée par le consulat américain. Oncle Joseph et Tante Denise n'avaient pas souvent été séparés depuis le jour où il avait cassé la calebasse trente-deux ans plus tôt. Cependant, l'affaire ne pouvait souffrir de retard, aussi il n'eut d'autre choix que de partir sans elle, même s'il craignait de mourir sans l'avoir jamais revue.

A New York, Oncle Joseph n'était pas installé chez son fils Maxo depuis vingt-quatre heures qu'il se réveilla au milieu de la nuit pris d'une violente douleur au cou.

Maxo était sorti avec un ami. Oncle Joseph réussit à descendre du lit et à atteindre en titubant la cuisine où se trouvait le seul téléphone de l'appartement. Il composa le numéro de mon père qui habitait à East

Flatbush, à trois stations de métro, soit trente minutes à pied ou un quart d'heure en voiture jusqu'au logement de Maxo sur Ocean Avenue. Mon oncle entendit un craquement lorsqu'on décrocha le téléphone de mon père.

« Allô », dit mon père, d'une voix qui grinçait d'angoisse. Aucune bonne nouvelle ne pouvait venir à cette heure de la nuit, se dit-il en lui-même.

Mon oncle pressa ses lèvres aussi près que possible du combiné pour prononcer ces trois mots : « Fré, map mouri. » Mon frère, je vais mourir.

« Qu'est-ce qui se passe ? demanda mon père.

— Gòj », répondit-il. Gorge.

Mon père lui dit d'ouvrir la porte de l'appartement et d'attendre. Puis il raccrocha et appela une ambulance. Lorsqu'il rappela, Oncle Joseph ne répondit pas, alors mon père s'habilla, sauta dans sa voiture et se précipita vers l'immeuble où mon oncle était logé.

Les ambulanciers y arrivèrent avant lui. Ils trouvèrent Oncle Joseph couché sur le sol près de la porte d'entrée, à peine conscient, se tenant le cou, suffoquant. Ils tentèrent d'introduire un cathéter dans sa gorge, mais la tumeur bloquait le conduit respiratoire. Alors, tout en filant vers l'hôpital de Kings County, ils lui firent une trachéotomie en perçant un trou dans le cou et en y insérant un tube pour qu'il puisse respirer.

Mon oncle subit une laryngectomie le jour suivant. Lorsqu'il sortit, il avait perdu sa voix à tout jamais. Il avait cinquante-cinq ans.

Le coût de l'opération s'élevait à environ trente

mille dollars, une somme qui fut négociée à la baisse et prise en charge par ses amis missionnaires américains.

Lors de la convalescence de son frère dans l'appartement de Maxo, mon père lui recommanda de rester à New York quelques mois pour être certain qu'il était bien en période de rémission. Mais il ne voulut pas l'écouter.

« Et mon église ? écrivit-il sur un bout de papier. Et ma femme ? En plus, ce n'était pas une bonne première visite de New York. Pas agréable du tout. »

Aussi, dès que les médecins le laissèrent partir un mois plus tard, il fit ses valises et retourna en Haïti.

« Nos vies ont pris des chemins plus différents que jamais, se rappelait mon père quelque temps plus tard. Il croyait que son existence avait été épargnée pour quelque raison et que ce n'était qu'en Haïti qu'il pouvait découvrir pourquoi. Il aurait pu s'installer à New York lorsque Maxo et moi sommes venus et il aurait pu venir après. Mais je ne pense pas qu'il ait jamais voulu quitter Bel Air pour aller ailleurs, que ce soit en Haïti ou à l'étranger. »

Qu'a dit l'homme blanc?

J'ai annoncé à mes parents que j'étais enceinte dans la voiture de mon père, sur le chemin de l'aéroport. Plus d'une semaine avait passé depuis que j'avais appris le diagnostic concernant mon père. Mais chaque fois que je m'étais retrouvée seule avec eux, je n'étais tout simplement pas parvenue à trouver les mots.

Je fus à deux doigts de le leur dire le soir précédant mon retour à Miami. J'étais assise sur le lit de mon père à regarder la télévision lorsque ma mère entra et s'assit sur le bord du lit à côté de moi. J'ouvris la bouche, pensant que les mots allaient sortir, mais je restai silencieuse.

Le temps limité du trajet en voiture rendrait les choses plus simples, ai-je pensé. Si je tenais à leur dire de vive voix, je n'aurais plus d'autre occasion de le faire.

Ce n'était pas la première fois que je faisais part d'importantes nouvelles à mes parents de cette manière.

J'avais débité à toute allure la liste des universités
où j'avais été acceptée dans la voiture, un dimanche
matin sur le chemin de l'église. J'avais annoncé mes
fiançailles en partant au mariage d'un cousin un samedi après-midi. Cette façon de donner d'importantes
informations contrariait mon père, qui, avant qu'on
ne diagnostique sa maladie, n'aurait jamais mentionné
un événement capital de façon désinvolte.

« Il faut que nous parlions », annonçait-il plusieurs
jours avant de dévoiler la nouvelle.

« Il y a une chose dont il faut que nous discutions »,
me rappelait-il quelques heures plus tard.

« Dis-moi quand tu auras un instant de libre », me
disait-il, jusqu'au moment où nous nous asseyions
ensemble pour un entretien bref, mais en bonne et
due forme.

Le meilleur endroit pour faire cette annonce eût été
la réunion de famille de la semaine précédente. C'est
probablement là que mes parents se seraient attendus à
apprendre la nouvelle et ce qu'ils auraient préféré,
plutôt que de m'entendre prononcer à la va-vite ces
quelques mots avant de m'enfuir aussitôt. Mais ce
soir-là je n'aurais pas pu regarder mon père en face et
– tout en sachant que ce serait là une réaction naturelle pour lui comme pour ma mère – leur demander
d'être heureux pour moi.

A midi, le trajet du domicile de mes parents à
l'aéroport prend normalement environ une demi-
heure. J'ajoutai dix minutes, le temps d'attendre que

mon père reprenne son souffle en allant de la maison à la voiture.

« Je peux prendre un taxi, Papa », lui avais-je dit en prenant place sur le siège avant, précédant ma mère qui ne conduisait pas, et à qui, de toute façon, mon père n'aurait jamais confié le volant.

Le corps voûté, mon père plaça sa tête près du tableau de bord. Toujours haletant et incapable de répondre, il secoua la tête en signe de dénégation tout en mettant le contact. Avant qu'il ne tombe malade, j'aurais pu dire de mon père que la conduite était pour lui aussi naturelle que la respiration. La veille, j'avais calculé que, de 1981 à 2004, en travaillant une moyenne de dix heures par jour, y compris les vacances, mais pas les dimanches, il avait passé près de vingt ans à conduire dans les rues de Brooklyn.

Je sus que mon père avait momentanément retrouvé son souffle lorsqu'il demanda quels plats ma mère m'avait préparés pour que je les emporte à Miami.

Chaque fois que je venais rendre visite à mes parents, ma mère remplissait de nourriture un sac de voyage. Elle se levait tôt le matin de mon départ pour que je puisse emporter plusieurs boîtes remplies de vivaneau frit, de gâteau à la patate douce, de petits pâtés de morue, un gros sac de plantains frits et plusieurs paquets de pain de manioc. Ma mère, imposante avec sa silhouette plantureuse, ses larges épaules, m'offrait toujours ces cadeaux à la dernière minute, parfois au moment où la voiture se rangeait sur le

trottoir devant l'aéroport. Sa nourriture et le trajet
dans la voiture paternelle faisaient partie de la cérémonie d'adieux qui souvent me laissait coupable et
effrayée – coupable de les abandonner et effrayée à la
pensée qu'en mon absence quelque malheur puisse
leur arriver, attaque d'apoplexie ou crise cardiaque.

« Qu'est-ce que ta mère t'a donné cette fois-ci ? »
me demanda mon père.

Ayant vu ma mère préparer le sac de nourriture, il
le savait fort bien. Mais il me le demandait quand
même, comme toujours, d'une manière malicieuse, en
partie pour taquiner ma mère sur ce désir qu'elle
avait, sans doute depuis mon enfance, de me nourrir à
distance.

Je leur ai parlé lorsque nous roulions sur les voies
étroites et sinueuses de la Jackie Robinson Parkway.
La vieille Lincoln rouge de mon père étant trop large
pour une seule file, surtout dans les virages, il roulait
sur les deux voies, ce qui irritait les conducteurs qui
ne pouvaient pas le doubler. Tenant fermement le
volant, il empêchait ainsi les autres voitures de passer
et les chauffeurs le klaxonnaient avec fureur en sortant
la tête par la fenêtre pour l'insulter. C'est au moment
où mon père zigzaguait dans les virages poursuivi par
une armée d'automobilistes furieux que je leur ai
appris la nouvelle. Je pense maintenant que cela
signifiait que j'avais toute confiance en lui quand il
conduisait. Je devais penser qu'au volant rien ne
pouvait le troubler.

« J'ai une nouvelle à vous annoncer », commençai-je.

Mon père était assis sur un coussin carré pour protéger son postérieur osseux des chocs de la route, son avant-bras appuyé sur l'accoudoir qui le séparait de ma mère et moi.

Ma voix se brisa. Soudain, je ne pus m'empêcher de penser à un autre scénario, à l'annonce d'un événement heureux à un père qui n'aurait pas été malade. Peut-être aurions-nous pu nous trouver sur un parcours semblable, tout en virages, en route vers l'aéroport, mais ma seule gêne eût été alors ce sentiment de léger trouble qu'on peut ressentir en engageant devant ses parents une conversation liée à la sexualité, même si c'est pour l'annonce d'un bonheur à venir.

« Je suis enceinte, marmonnai-je.

— Sa blan an di ? » demanda ma mère. Qu'est-ce que le blan a dit ?

C'était la façon qu'avait toujours ma mère de nous faire savoir, à mes frères et moi, qu'elle n'avait pas entendu ou compris ce que nous avions dit. Un blan, l'équivalent d'un gringo, n'était pas seulement un homme blanc, mais tout étranger, spécialement quelqu'un qui parlait le genre de créole saccadé et hésitant que mes frères et moi parlions parfois avec nos parents. « Sa blan an di ? » signifiait chez nous : « Je ne te comprends pas. Que dis-tu ? »

Mon père, cependant, m'avait tout à fait entendue.

« Un petit-fils ou une petite-fille, dit-il à ma mère, en me tapant dans la main pour me féliciter.

— Oh, je savais que tu étais enceinte, dit ma mère en frappant dans ses mains qu'elle avait larges et courtes. Je l'ai vu en rêve.

— C'est plutôt comme un fantasme, dit mon père. Un souhait.

— C'était un rêve, dit ma mère en se tournant vers moi. Je t'ai vue tenant un bébé et personne ne te demandait à qui il était. »

Le reste du voyage se passa en conseils que mes parents ne cessèrent de me répéter pendant toute ma grossesse. Ma mère me recommanda de voir un médecin sans tarder. Mon père m'ordonna d'arrêter de voyager, de prendre autant de repos que possible et d'essayer de me détendre.

Sur le trottoir à l'aéroport, mon père descendit de voiture pour me serrer dans ses bras. Il respirait avec difficulté quand il tendit la main pour toucher mon ventre encore plat.

« Ne la rends pas triste, lui dit ma mère sur ce ton à la fois brusque et enjoué qu'elle employait souvent. Elle va se retrouver toute seule dans l'avion.

— Ce n'est pas un avion privé, n'est-ce pas ? » demanda mon père, taquin, alors même qu'il tentait de retrouver son souffle.

Ne souhaitant pas le voir rester debout plus longtemps, j'embrassai rapidement mes parents, puis saisis mes bagages et partis sans plus attendre. Du hall de l'aéroport, j'aperçus mon père qui se glissait lentement au volant de la voiture et baissait la tête pour tousser,

tousser, tousser. Parfois lorsqu'il toussait vraiment fort, des larmes ruisselaient le long de ses joues sans même qu'il s'en rende compte. Je vis alors ma mère tendre la main et lui essuyer le visage. Un grand gaillard de policier s'approcha de la voiture et fit signe à mon père de partir. Alors que les autres passagers se dirigeaient vers les comptoirs d'enregistrement, je regardai mon père qui s'éloignait, sans avoir retrouvé sa respiration.

Sentiments et dénuement

Mon père quitta l'école en 1954 à l'âge de dix-neuf ans pour devenir apprenti chez un tailleur du voisinage. Non pas un tailleur ordinaire, mais un homme dont le petit atelier, installé à son domicile, produisait des centaines de chemises d'enfants unisexes fabriquées avec les éléments les moins chers du marché, qu'il s'agisse du tissu, du fil ou de la main-d'œuvre – des apprentis. Mon père était tenu de coudre deux douzaines de petites chemises par jour. Les chemises étaient ensuite vendues à des marchands qui les revendaient dans tout Haïti.

La part qui revenait à Papa s'élevait à environ cinq pennies par chemise. Il partit de l'atelier quand il eut économisé et emprunté assez d'argent pour s'acheter sa propre machine à coudre. Il commença alors à travailler pour lui-même, en vendant directement aux revendeurs. Son activité se poursuivit jusque dans les années 1960, lorsque des vêtements usagés en provenance des Etats-Unis, qu'on appelait des « Kennedys » parce qu'ils furent envoyés en Haïti du temps de l'administration du président Kennedy, arrivèrent en grand nombre dans le pays.

Un après-midi, mon père était en quête d'un autre travail quand il s'arrêta devant le magasin de tissus où mon oncle Joseph travaillait. Devenu un client régulier de la maison, il entretenait de bonnes relations avec le patron. Celui-ci lui parla d'un émigré italien qui venait juste d'ouvrir une boutique de chaussures sur Grand Rue et recherchait un vendeur. Mon père courut au magasin et, sur la recommandation du patron de mon oncle, fut engagé sur-le-champ.

Le nouveau patron de mon père était toujours couvert de bijoux. En plus d'un collier en or aussi épais que sa ceinture, il portait un énorme bracelet et deux grosses bagues en or à chaque main.

« Si à l'époque les hommes avaient porté des boucles d'oreilles, disait mon père, il en aurait porté quatre. »

Mais la prodigalité du patron n'allait pas jusqu'à la paie de son employé. Le salaire de mon père était modeste, moins de l'équivalent de vingt dollars par mois, avec la possibilité d'une commission lorsqu'il vendait plus de trois paires de chaussures.

Ayant travaillé sans arrêt comme apprenti, puis à son compte, mon père pensa que son nouvel emploi serait beaucoup plus facile. Il n'avait rien d'autre à faire que de convaincre les gens d'acheter ce dont, de toute façon, ils avaient besoin.

Le magasin vendait des chaussures de différents sty-

les et proposait un large éventail de prix. Des chaussures d'hommes, de femmes, des chaussures de caoutchouc, de plastique et, les plus chères de toutes, des
chaussures en cuir. Son patron lui recommanda
d'insister sur le fait que toutes les chaussures, comme
le propriétaire de la boutique, provenaient d'Italie.

« Sinon demandez donc à n'importe quel cordon-
nier de la rue de vous faire une paire de chaussures »,
l'encourageait-il à dire aux clients.

Mais en fait bien peu des chaussures étaient réellement fabriquées en Italie. La plupart, découvrit-il,
venaient des Etats-Unis via Porto Rico.

De temps à autre, mon oncle recommandait à sa
congrégation, de plus en plus nombreuse, d'acheter
des chaussures à mon père. Papa, de son côté, avait
convaincu son patron d'accorder des remises spéciales
aux paroissiens de mon oncle en lui rappelant que les
personnes fréquentant l'église étaient moins suscepti-
bles d'utiliser de contraceptif, ce qui signifiait un plus
grand nombre de clients potentiels.

Cette période de la vie de mon père, le début des
années soixante, fut aussi assombrie par des événements fâcheux d'une autre ampleur. Papa Doc Duvalier, qui avait succédé à Daniel Fignolé dans le palais
présidentiel, refusa de se retirer ou de consentir à de
nouvelles élections, malgré un mécontentement de
plus en plus vif devant ses méthodes répressives consis-
tant à emprisonner ou à exécuter publiquement ses
opposants. Il créa une milice dont l'action, fondée sur
la violence, s'étendait sur tout le pays, un groupe

d'hommes et de femmes connus sous le nom de tontons macoutes, recrutés parmi les pauvres des villes et de la campagne. En s'engageant dans les macoutes, les recrues recevaient une carte d'identité spéciale qui certifiait leur allégeance à Papa Doc Duvalier, un uniforme en denim de couleur indigo, un pistolet de calibre 38 et le droit d'agir comme bon leur semblait.

Mon père se souvenait de certains macoutes qui entraient dans le magasin, demandaient les meilleures chaussures et les emportaient sans autre forme de procès. Il lui était impossible de protester ou de les poursuivre sans risquer d'être abattu.

Après avoir perdu beaucoup de chaussures, son patron trouva une solution. Il commanda un grand nombre de chaussures de fabrication médiocre qui, sans être en cuir, l'imitaient assez bien. La plupart des macoutes qui entraient dans le magasin pour y voler des chaussures faisaient peu de cas de la qualité ou bien étaient, de toute façon, incapables de faire la différence. S'ils demandaient à essayer une paire de chaussures, mon père ne leur présentait que celles à trois dollars.

Papa avait toujours un nœud au creux de l'estomac lorsqu'un macoute lui demandait s'il y avait d'autres chaussures. Il essayait de ne pas trembler lorsqu'il répondait « Non », tout en pliant et massant les chaussures bon marché afin de les assouplir. A la fin, ce fut cette expérience, ce pliage incessant de chaussures, accompagnée de la crainte d'être abattu, qui fit naître en lui l'idée de quitter Haïti.

Mes parents racontent deux versions légèrement différentes de leur rencontre en 1962, alors qu'ils avaient tous les deux vingt-sept ans. Dans celle de ma mère, ils se sont rencontrés pour la première fois dans une épicerie de Bel Air appartenant à l'une des sœurs aînées de ma mère et où elle allait souvent donner un coup de main. A cette époque, ma mère était une jeune femme élancée, très belle, d'un genre songeur, plutôt mélancolique, et d'une timidité qui faisait peine à voir. Un jour, mon père pénétra dans la minuscule boutique mal éclairée, où ma mère l'accueillit à la porte avec un sourire. Quelques jours plus tard, elle entra dans le magasin de Grand Rue pour acheter une paire de chaussures. Il l'aida à essayer quelques modèles de femme dont aucun ne lui allait. Elle le remercia et sortit du magasin.

Mon père n'avait gardé aucun souvenir de son passage dans l'épicerie. Il se rappelait seulement l'entrée de sa future femme dans le magasin de chaussures, trop timide pour lever les yeux de ses vieilles sandales poussiéreuses. Il voulait qu'elle reste dans le magasin aussi longtemps que possible, aussi lui donna-t-il à essayer des chaussures dont il savait pertinemment qu'elles ne lui conviendraient pas. Finalement quand, frustrée, elle partit, il la suivit jusque chez elle.

Ils se marièrent trois ans plus tard.

Avant que ma mère n'arrivât, Oncle Joseph voulait que mon père épouse Léone, la sœur de Tante Denise, qui, bien qu'ayant cinq ans de moins que Tante

Denise, paraissait être sa jumelle. Elles étaient presque identiques, sauf que Léone s'habillait de façon moins formelle que Tante Denise, qui, étant la femme du pasteur, ne pouvait pas quitter son domicile sans avoir mis chapeau et gants assortis et l'une de ses perruques qui lui tombaient sur les épaules et qu'elle préférait à ses cheveux coupés court. Le fait que Tante Denise cousait ses propres vêtements et avait la possibilité d'acheter du tissu dans la boutique de mon oncle lui permettait de disposer en permanence de vêtements élégants. Léone n'avait ni les moyens ni les goûts de sa sœur et, bien qu'elle fût tout aussi jolie, elle avait l'air d'une jumelle qui aurait été abandonnée à la naissance. Léone était amoureuse de mon père, mais lui ne s'intéressait pas à elle.

En outre, comme il me le raconta un soir au cours de ce séjour après son diagnostic, alors que nous étions tombés à la télévision sur la comédie musicale de Stanley Donen, *Les Sept Femmes de Barberousse*, dont le thème est un kidnapping de jeunes femmes et qui, pensait-il, à cause du titre anglais *Seven Brides for Seven Brothers*, mettait en scène sept frères épousant sept sœurs, « ce n'est pas comme si ton oncle et moi étions Caïn et Abel et qu'il n'y avait personne d'autre dans le monde à épouser ».

Après leur mariage, mes parents s'installèrent dans une petite maison d'une zone de Bel Air où la population devenait de plus en plus dense. Le sol de ciment des deux pièces qu'ils louaient était de la même cou-

leur terne que les murs. Il n'y avait pas de fenêtres ni
de jalousies, uniquement quelques ouvertures dans le
béton en forme de losange, qui laissaient entrer un
peu d'air et, quand il pleuvait, beaucoup d'eau. Ma
mère décora l'intérieur du mieux qu'elle put, cou-
vrant les murs de larges rideaux en dentelles qu'elle fit
elle-même. Ils voulurent des enfants tout de suite,
mais ne parvenaient pas à en avoir, ce qui amena mon
oncle et Tante Denise à demander constamment
qu'on prie pour eux à l'église.

Mes parents étaient sur le point de célébrer leur
quatrième anniversaire de leur mariage lorsque je suis
née, en 1969. Vingt mois plus tard, Bob suivit. Après
ma naissance et celle de Bob, mon père se remit à
coudre lorsqu'il rentrait de son magasin de chaussures.
Ma mère l'aidait à fabriquer des uniformes d'écoliers
et de minuscules drapeaux pour les enfants des écoles
le Jour du Drapeau.

Un après-midi, peu avant la fermeture de la boutique, le patron parla à mon père de son fils qui allait
bientôt partir en vacances à New York.

« Croyez-vous que je pourrais avoir un visa ? » demanda mon père.

A cette époque, comme aujourd'hui, quitter le pays
semblait souvent la seule solution, surtout quand on
était malade comme mon oncle ou pauvre comme
mon père, ou sans aucun espoir, comme eux deux.

Le patron de mon père proposa de lui écrire une
lettre pour appuyer sa demande.

Comme il avait un emploi, une femme et deux

enfants, c'est-à-dire autant de motivations pour retourner en Haïti, mon père reçut un visa de tourisme
d'un mois. Mais il n'avait aucune intention de revenir.

Je n'ai pas gardé de souvenir du départ de mon père
ou d'un quelconque événement qui l'aurait précédé.
La fille adoptive d'Oncle Joseph et de Tante Denise,
Marie Micheline, aimait me raconter comment,
l'année avant que mon père ne parte, souvent le soir,
sur le chemin de retour de son travail, il achetait un
petit paquet de gâteaux secs au beurre à mon intention. Je n'aimais pas les gâteaux secs. Mais mon visage
s'illuminait quand je les voyais et je riais à gorge
déployée quand il m'en donnait un que je lui rendais
aussitôt pour m'esclaffer plus encore quand il le faisait
disparaître dans sa bouche.

J'ai depuis découvert que les enfants qui grandissent
sans leurs parents aiment entendre de pareilles histoires
qu'ils peuvent embellir et développer à loisir. Ce
genre d'anecdotes nous mettent momentanément à
l'aise, nous assurent que nous sommes aimés par le
parent qui est parti. Malheureusement, on ne m'a
jamais raconté beaucoup d'histoires comme celle-ci.
En revanche, j'ai souvent entendu parler de l'avenir,
de ce temps indéterminé où mon père nous ferait
venir, ma mère, Bob et moi.

En l'absence de mon père, Oncle Joseph s'arrêtait
de temps à autre pour nous rendre visite après son
travail et, bien entendu, ma mère, Bob et moi allions

toujours aux offices dans son église. Farouchement
indépendante et trop fière pour demander la partici-
pation de mon oncle ou pour emprunter de l'argent
lorsque les mensualités que mon père lui envoyait
étaient épuisées, ma mère continuait de coudre des
uniformes d'écoliers et des drapeaux. Un dimanche
matin où elle n'avait plus un sou vaillant, elle nous
laissa sur les genoux de mon oncle après l'office pour
que nous puissions avoir un vrai repas du dimanche
avec lui et Tante Denise.

« Un jour, tout cela prendra fin », lui dit ma mère.
Puis elle s'enfuit à la maison, en pleurs.

Deux ans après le départ de mon père, alors que
j'avais quatre ans et Bob deux, le visa de tourisme que
ma mère avait sollicité et qui avait été rejeté à plusieurs reprises fut finalement accepté. Quand vint
pour elle le moment de partir, Tante Denise, Oncle
Joseph, Bob et moi partîmes à l'aéroport. Bob était
assis sur les genoux de ma mère à l'arrière de la voiture et moi à côté d'elle, la tête appuyée sur son bras.

A la porte d'embarquement, les larmes montèrent
aux yeux de ma mère lorsqu'elle tendit Bob à Tante
Denise qui, en quelques mouvements rapides, ôta ses
gants pour recevoir l'enfant dans ses bras. A cette
époque, Tante Denise ôtait rarement ses gants en
public, aussi ce geste très attentionné, le fait de retirer
ses gants et de tapoter légèrement sa perruque de ses
doigts manucurés, sembla me montrer qu'un événement important se passait. Je ne savais pas exactement

quand on avait parlé de la possibilité d'un départ de
ma mère, mais je devais soupçonner quelque chose.
Toute la semaine, ma mère m'avait cousu des robes :
des longues avec de gros nœuds et des cols compli-
qués, des robes courtes avec des imprimés incarnats et
d'autres avec des dentelles roses. A la fin de la semaine, j'avais dix robes au total, la plupart trop grandes pour moi, si bien que je me suis rendu compte
que je pourrais les porter plus tard, quand elle ne
serait plus là. Elle avait même fait une version assortie
de la robe de coton blanc toute simple que nous
portions toutes les deux à l'aéroport et qui ressemblait
à la modeste tenue qu'on revêtait pour être immergée
dans l'eau lors d'un baptême adulte à l'église de mon
oncle. Tout devenait clair. Elle avait aussi acheté à
Bob trois costumes tout neufs, deux avec des culottes
courtes et un, plus grand, avec un pantalon. Elle avait
donné à Marie Micheline le paquet de draps bleu ciel
non ouvert qu'elle gardait en réserve sous son lit pour
les jours de complet dénuement et ses pots en cérami-
que à Tante Denise. Mais elle n'avait rien enlevé dans
nos chambres. Nos lits ? Nos vêtements ? Et un cadeau
d'anniversaire que je chérissais, un exemplaire de
Madeleine de Ludwig Bemelmans. Tout cela allait-il
maintenant être transporté dans la maison d'Oncle
Joseph et Tante Denise ?

Quand l'heure vint pour ma mère de monter à
bord de l'avion, j'enlaçai ses jambes gainées de bas
nylon pour l'empêcher d'avancer. Elle se pencha vers
moi et m'ouvrit les poings tandis qu'Oncle Joseph me

tirait par l'arrière de ma robe en me prenant les deux mains pour me détacher d'elle.

« Kalm », me dit-il. Calme-toi. Et un court instant, sa voix, profonde, ferme, m'apaisa. Après tout, selon toute apparence c'était lui et Tante Denise qui s'occuperaient maintenant de nous. Ils seraient nos parents. Mais, et si notre mère partait pour ne jamais revenir, comme notre père ?

Paniquée, je sautai des bras d'Oncle Joseph et courus vers ma mère en pressant mon visage contre ses jambes. Je le repoussai lorsqu'il essaya de me reprendre.

Ayant échappé à Tante Denise, Bob était lui aussi par terre, frappant les carreaux froids de ses petits poings, en hurlant. Son visage était couvert de bave. Répondant à un ultime appel d'embarquement, ma mère partit à vive allure, le visage noyé de larmes enfoui dans ses mains. Elle fut incapable de regarder derrière elle.

La mort peut venir à tout moment

Ma mère avait raison quand elle m'avait parlé de mon voyage en avion vers Miami en ce jour de juillet 2004. Ce serait le plus solitaire de ma vie.

Après avoir accompli les formalités d'enregistrement et de sécurité, j'appelai mon mari de l'aéroport.

« J'ai hâte de vous voir tous les deux », me dit-il d'un ton d'une gaieté inébranlable.

Peu après la fin de ce coup de fil, j'appris que le vol aurait cinq heures de retard. Nous ne décollerions pas avant huit heures du soir. L'agitation erratique de mon estomac, qui n'avait plus rien de mystérieux, se poursuivit. C'était maintenant une présence à laquelle je pouvais attribuer toutes sortes d'actions et de caractéristiques, un petit bébé qui dormait, se réveillait, faisait la roue.

A ce stade de la grossesse, le bébé ne mesurait probablement que deux centimètres, un minuscule têtard sans cœur ni cerveau développés et n'ayant que de minuscules bosses comme bras et jambes, mais c'était déjà la seule personne qui, à l'exception de mon père mourant, occupait constamment mon esprit.

J'appelai mon père sur son téléphone portable pour lui dire que j'allais partir en retard. Peut-être, s'il n'était pas trop loin de l'aéroport, pourrait-il faire demi-tour pour venir me prendre.

Il ne répondit pas. Se passait-il quelque chose de grave ? A son sujet, ce qui était grave était à présent la norme. S'était-il passé quelque chose de plus grave encore ? Je me poserais désormais la question chaque fois que je l'appellerais et qu'il ne répondrait pas. Avait-il eu un accident de voiture ? Etait-il mort ?

Je continuai à appeler la maison jusqu'à ce que ma mère répondît.

« Il vient juste de me déposer, dit-elle d'une voix traînante.

— Il ne répond pas au téléphone, dis-je.

— Tu le connais. Il aura oublié de charger la batterie. »

Mon père était dans le bureau du garage quand il finit par répondre.

« Je pensais que tu étais partie », dit-il.

Parfois, lorsqu'il était détendu et bien reposé, il ne paraissait pas du tout malade. Son état s'aggravant, seuls de légers indices dans la tonalité de sa voix me permettaient maintenant de juger qu'il n'allait pas bien.

« Est-ce que tu veux que je vienne te chercher ? » me demanda-t-il.

Ne souhaitant pas le fatiguer trop, je lui répondis :

« Il vaut sans doute mieux que je reste ici au cas où l'avion partirait plus tôt que prévu. Je voulais simplement te mettre au courant.

— Rappelle-moi quand tu partiras », me dit-il.

J'avais plusieurs heures devant moi, aussi j'en profitai pour appeler mes frères et leur annoncer la nouvelle tout en parcourant l'aérogare d'un pas rapide. Bob venait de quitter la maison des parents après être venu voir ma mère.

« Maman n'a pas aimé la façon dont tu leur as appris ta grossesse », dit-il, ce qui confirma mes soupçons.

Je rappelai ma mère. Après tout, ai-je pensé, si jamais l'avion s'écrasait quand je serais enfin à bord, je perdrais pour toujours la possibilité de lui dire que j'étais désolée.

« Manman, eskize m, excuse-moi. » Peut-être était-ce le mélange d'excitation et de chagrin que m'avaient apporté la grossesse et la maladie de mon père, mais je voulais qu'elle ne soit plus jamais fâchée contre moi.

Puis, j'appelai mon frère Karl, à son travail.

« Bienvenue dans mon monde », dit-il. Je pouvais presque le voir sourire alors qu'il remuait des papiers ici et là sur son bureau. « Tu ne seras plus jamais à l'heure pour quoi que ce soit. Et quant à faire la grasse matinée, ça tu peux l'oublier ! »

Ces avertissements étaient maintenant un lien entre nous. La sœur aînée et le petit frère, nous pouvions maintenant parler, non pas uniquement de nos parents, mais aussi de nos enfants.

Lorsque j'appelai mon frère Kelly, il se souvint d'une conversation que nous avions eue lorsque j'étais en dernière année au lycée, lorsque je lui avais déclaré que mon rêve le plus cher dans la vie était de rester célibataire et sans enfant de manière à jouir d'une totale liberté pour écrire mes livres.

« Aujourd'hui, la vieille fille mariée est enceinte », dit-il en riant.

Annoncer ma grossesse m'évitait de parler de mon père, au moins pour quelque temps. Tout en marchant dans l'aérogare, j'appelai quelques amies, des personnes pour lesquelles je ne voulais pas attendre le cap sans danger des douze semaines pour leur dire ce qu'il en était. Cependant, il n'y eut que deux d'entre elles à qui j'appris que la médaille avait un revers : mon père était en train de mourir. L'une des deux, qui le connaissait bien, me reprocha d'accepter le pronostic du médecin si aisément.

« Qu'est-ce qu'il en sait, ce médecin ? s'écria-t-elle.

— Il a fait des tests, dis-je. Et mon père le sait, lui aussi.

— Ecoute-moi, m'interrompit-elle. On se fout de ce toubib. La mort peut venir à tout moment. Nous pouvons nous casser la figure dans la douche et nous cogner la tête. Nous pouvons nous faire écraser par un bus. Nous pouvons être frappés par la foudre. Nous pouvons attraper des maladies dont on n'a même pas encore entendu parler. La mort peut venir à tout moment. »

Bien évidemment cette idée m'avait aussi traversé

l'esprit. Peut-être dans l'ascenseur en sortant du bureau du docteur Padman, à table lors de la réunion de famille ou dans la voiture quand j'étais assise entre ma mère et mon père sur le chemin de l'aéroport, ou bien à quelque autre moment, mais moi aussi je m'étais dit la même chose. Je l'avais entendu avant. Dans la bouche de mon oncle. « La mort peut bien venir à tout moment, l'espace d'un souffle. »

Good-bye

Il est difficile de ne pas idéaliser le courage avec lequel mon oncle a pu supporter son infirmité après sa laryngectomie en 1978, même si ce qui apparaissait comme de la bravoure n'était qu'un moyen de cacher sa souffrance aux autres. Cependant, il me semblait, alors que j'avais neuf ans, que mon oncle s'accommodait bien de son opération du larynx. Certes il ne pouvait plus parler, mais il n'avait pas abandonné sa vieille habitude d'écouter tôt le matin un vieux disque de l'école Berlitz et faisait semblant de prononcer quelques phrases en anglais pendant qu'il se rasait.

« Good morning », lançait la voix pétillante d'une jeune femme venant d'un 33 tours grinçant sur un électrophone posé sur la table de chevet.

« Good evening », continuait-elle.

Puis elle passait directement à « Good-bye ».

Son au revoir ne recelait rien de cette tristesse que le mot implique. C'était le genre d'au revoir qu'on est susceptible d'entendre après une soirée animée et non cet adieu qui précède une longue absence ou une mort. Avant son opération, mon oncle avait essayé de retrouver la gaieté de cette voix en répétant ces mots. Après son opération, il se contentait de simuler la prononciation de ces saluts joyeux et de ces expressions sorties de tout contexte.

Finalement, pour mon oncle, il ne fut pas aussi difficile de communiquer que je l'avais craint. Pour ceux qui savaient lire, il écrivait des notes expliquant des pensées complexes ou élaborées. Le reste du temps, il faisait usage d'expressions faciales et de gestes des mains. Pointer le doigt vers ses yeux, par exemple, voulait dire regarder. Tirer sur ses oreilles signifiait écouter. Ouvrir ses deux mains de chaque côté voulait dire ouvrir, les réunir l'une contre l'autre, fermer. Se frapper le front de sa paume signifiait qu'il avait oublié ou négligé quelque chose.

Mon oncle, s'il n'était pas la seule personne de Bel Air à être privée de l'usage de la parole — il y avait un garçon muet de naissance et une vieille femme qui avait eu une attaque d'apoplexie —, était le seul à avoir une trachéotomie, une ouverture permanente dans le cou. Les gens montraient une telle curiosité à ce sujet qu'à l'occasion des conversations — à sens unique — qu'ils avaient avec lui, ils ne quittaient pas ce trou des yeux. Moi aussi, j'étais intriguée par cet abîme étroit qui semblait s'enfoncer profondément dans son corps. Ce cercle parfait était de couleur saumon comme notre maison et se retournait vers l'extérieur quand il éternuait.

Dans leur curiosité, certains de nos voisins faisaient preuve de cruauté. Je me souviens qu'en sortant de notre maison avec mon oncle, j'entendis un jeune garçon qui criait « kou kav » ou gorge caverne. En entendant cela, la mère de l'enfant pointa son doigt en direction de mon oncle en riant. Son rire était plus un ricanement gêné qu'une raillerie. On y percevait presque de la crainte.

J'avais souvent vu des parents avertir leur progéniture de ne pas regarder fixement les infirmes ou montrer du doigt les handicapés. « Tu ne dois pas rester bouche bée ou tes yeux vont se fermer pour de bon. Si tu montres avec ton doigt, il va tomber », m'avait dit une ou deux fois ma mère avant son départ.

La mère de l'enfant riait comme si on lui avait déjà dit cela, mais sans pouvoir s'en empêcher. Peut-être riait-elle avant que nous n'arrivions, puis s'était sentie gênée d'avoir été surprise ainsi. Peut-être écoutait-elle chez elle une émission comique à la radio que seule elle et son fils entendaient. Malgré tout, quand nous sommes passés près d'eux, mon oncle, vêtu de son habituel costume sombre et portant cravate, m'a serré fortement la main. Son corps s'est raidi, mais il a maintenu sa tête droite et a fait semblant de ne rien remarquer.

A cette époque, tout ce que je pouvais imaginer était une muraille qui l'entourerait, une forteresse ambulante qui le suivrait partout où il irait et le protégerait des moqueries. Cette forteresse, ceinte de nuages de coton rose bonbon, nous suivait ce jour-là lorsque je suis entrée avec lui dans la banque pour déposer l'argent que mes parents lui avaient envoyé par virement pour nos frais de scolarité et autres dépenses.

Un des inconvénients de la vie de mon oncle après son opération est qu'il n'aimait pas beaucoup sortir seul. Chaque fois qu'il lui fallait déposer de l'argent à la banque ou s'occuper de quelque affaire scolaire au ministère de l'Education, il attendait que moi ou son petit-fils, Nick, le fils de Maxo, sortions de l'école pour emmener l'un de nous avec lui. De cette manière, il était à même de se faire comprendre, soit par des gestes ou à l'aide de ses notes manuscrites parfois indéchiffrables que l'un de nous deux traduisait alors pour lui.

Notre récompense était le soulagement que nous pouvions lire dans le regard de l'employé de banque ou du fonctionnaire lorsqu'il se rendait compte combien la transaction avec mon oncle aurait pris de temps si l'un de nous n'avait pas été là, combien d'yeux il aurait fallu pour déchiffrer les demandes écrites de mon oncle, combien de tentatives de lecture sur les lèvres il aurait fallu faire avant d'envisager d'autres solutions auxquelles il aurait répondu par des mouvements de tête pour les refuser avec vigueur ou les approuver. Mon oncle nous était aussi reconnaissant lorsque nous devinions la bonne réponse. Il affichait alors un sourire délibérément contrôlé qu'il maîtrisait pour cacher ses fausses dents. Son sourire aurait été remplacé par un « Oui ! » sonore s'il avait pu parler, par un cri lancé vers le ciel si cela lui avait été possible.

Nous arrivâmes à la banque alors qu'elle était presque vide. Mon oncle s'avança vers une jeune femme qui, assise à son bureau, parlait au téléphone. Elle raccrocha et nous fit signe de nous asseoir.

La climatisation marchait à plein régime, diffusant dans la salle un air froid et parfumé. Mon oncle lui tendit une enveloppe contenant des billets et son livret bancaire. Elle sortit les billets et les compta en les étalant devant elle.

Parfois des transactions comme celle-ci ne nécessitaient pas de conversation ou un quelconque type d'échange susceptible de révéler l'état de santé de mon oncle. La jeune femme aurait fort bien pu juger qu'elle avait affaire à un client timide ou mal à l'aise. Il était déjà venu dans cette banque, mais n'avait jamais été servi par elle. Elle ne le connaissait pas.

Quand elle eut fini de compter l'argent, elle annonça un chiffre à haute voix que mon oncle approuva d'un hochement de tête. Puis elle tapa le montant sur le livret. Et au moment où les épaules de mon oncle se baissaient, ce qui était chez lui un signe de soulagement, et qu'il aurait pu penser qu'il n'aurait plus besoin de Nick ou de moi pour l'accompagner lorsqu'il aurait comme interlocutrice cette employée-là dans cette banque-là, la jeune femme se pencha et demanda : « Ta fille ? »

Mon oncle acquiesça du chef, le même hochement heureux qu'il utilisait lorsque soudain une chose lui paraissait claire. Un large sourire s'alluma sur son visage, pendant qu'il tapotait mes tresses bien serrées.

Sur le trottoir, devant la banque, se tenait un homme qui vendait de la glace râpée arrosée de sirop, une friandise pour enfants appelée fresko. Sur la charrette bancale et rafistolée, un bloc de glace transparente était à moitié enfoui dans de la sciure et entouré d'une rangée de bouteilles multicolores. Mes yeux suivirent les mains ridées de l'homme qui, avec sa râpe, donnait des petits coups précautionneux sur la glace pour nous tenter, comme il le faisait toujours. Mon oncle lui fit signe d'approcher et les roues de caoutchouc de sa charrette crissèrent contre le trottoir lorsqu'il se dirigea vers nous.

« Quel parfum ? » demanda le vendeur de fresko, en montrant du doigt les bouteilles à moitié pleines qui jetaient des reflets rouges, bleus, jaunes et verts dans le soleil. Je montrai du doigt la bouteille beige. Noix de coco ! J'avais essayé la plupart des autres parfums, dont menthe et cerise, mes autres favoris.

Comme nous étions des clients habituels, le vendeur me donna une portion particulièrement généreuse. Je passai ma langue autour du fresko glacé jusqu'à ce que l'intérieur de mes joues soit engourdi. Mon oncle fut incapable de résister et d'un geste commanda un fresko, à la noix de coco comme le mien. Quand j'eus terminé le mien, il lui restait presque les trois quarts du sien et, baissant le bras pour me prendre des mains le cornet de papier vide, il me donna le reste.

Sur le chemin du retour, nous passâmes devant une multitude d'éventaires de bouquinistes dont les livres jaunis et tachés s'alignaient sur des carrés de tissu posés à même le trottoir et derrière des cordes sur des carrioles en face de la cathédrale nationale. S'arrêtant devant un jeune homme qui vendait surtout des livres d'enfants, mon oncle me demanda d'en choisir un comme cadeau. Je me penchai pour prendre un livre qui me parut familier, que j'avais possédé avant. Sur la couverture, on y voyait une religieuse avec, d'un côté, onze petites filles en imperméable et, de l'autre, ayant le luxe d'avoir une main entière pour elle seule, une petite fille habillée exactement comme les autres mais qui bénéficiait à l'évidence d'un statut spécial. Le nom de la petite fille était Madeleine.

Je pris le livre comme si je prenais Madeleine elle-même, et la pressai vite contre ma poitrine alors que mon oncle payait le marchand. Contrairement à mon premier exemplaire, qui était tout neuf et sentait l'encre d'imprimerie, celui-ci avait une odeur de moisi. Mon oncle n'eut pas le loisir de le voir assez longtemps pour se rendre compte qu'il me l'avait déjà acheté comme cadeau d'anniversaire pour mes quatre ans. Dans ma famille, nous ne faisions pas de fêtes d'anniversaire et, à cette époque-là, les cadeaux n'étaient en rien un dû. En fait, ce premier livre fut le seul cadeau d'anniversaire que j'aie jamais reçu de mon oncle, qui, sachant que ce serait peut-être le dernier anniversaire que je passerais avec ma mère, le lui avait donné sans cérémonie pour qu'elle me l'offre. Le livre avait disparu lors du déménagement de notre maison à celle d'Oncle Joseph et Tante Denise. Mais craignant qu'il ne me jugeât négligente, je n'en avais jamais soufflé mot. Sur le bref chemin du retour, j'avais hâte de grimper sur mon lit pour revoir mon amie Madeleine qui, comme moi, vivait dans une vieille maison avec d'autres enfants. Et si nous n'étions pas douze, je retrouvais là le pain que l'on rompt, le brossage des dents, le coucher le soir avec un sourire pour les gentils, les gros yeux pour les méchants et parfois la profonde tristesse.

Après son opération, pour que les choses continuent à suivre leur cours normal, mon oncle engagea un directeur pour l'école et deux pasteurs associés pour diriger l'église. Cependant, en certaines occasions, il était évident qu'il regrettait beaucoup de ne pouvoir pleinement participer comme sa voix le lui aurait permis. C'était surtout visible à mes yeux lorsqu'il manquait un office du soir et restait assis immobile dans l'angle le plus sombre de la véranda, fixant son regard droit devant lui en écoutant Granmé Melina raconter ses contes populaires.

La mère de Tante Denise, Granmé Melina, était probablement centenaire quand elle vint vivre avec nous en 1979. Comme de nombreux paysans de sa génération, elle n'avait pas d'acte de naissance et ne se souvenait vaguement que d'une chose que lui avaient dite ses parents, qu'elle était née à l'époque où un homme du nom de Canal Boisrond était président de

Haïti. Boisrond resta au pouvoir trois ans, de juillet 1876 à juillet 1879, ce qui donne à Granmé Melina un âge allant de quatre-vingt-dix-sept à cent ans.

C'est la maladie qui avait contraint Granmé Melina à descendre des montagnes de Léogâne, où elle vivait depuis que sa fille s'était installée à Port-au-Prince avec Oncle Joseph. Percluses d'arthrite, ses deux mains, pâles et couvertes de taches brunes, s'étaient racornies comme des serres, ce qui l'empêchait de faire quoi que ce soit par elle-même. Elle passait la plupart de son temps assise dans la véranda à regarder passer les gens. Mais dès que le soleil s'était couché, elle renaissait à la vie en racontant des histoires et se retrouvait au centre des choses. Les enfants du voisinage terminaient dans la hâte leur dîner et apprenaient au plus vite leurs leçons pour le lendemain avant d'aller s'asseoir sur les marches devant le rocking-chair de Granmé Melina et écouter ses histoires.

Un des contes qu'elle racontait le plus souvent ressemblait à l'histoire de Raiponce, celle d'une belle jeune fille que sa mère, craignant qu'elle soit enlevée par des gens de passage, enfermait dans une maison, petite mais jolie, sur le bord de la route, pendant qu'elle partait travailler dans les champs jusqu'au crépuscule. Chaque soir, après une dure journée de labeur, la mère venait devant la petite maison et chantait une chanson qui indiquait à sa fille qu'elle pouvait ouvrir la porte pour la laisser entrer. Après avoir observé la scène pendant de nombreuses semaines, un énorme serpent venimeux attendit que la mère soit au travail dans les champs et, dans l'espoir de tromper la jeune fille et l'amener à sortir, arriva en ondulant jusqu'au seuil de la porte et essaya d'imiter le chant de la mère. Mais le serpent siffla si fort que la jeune fille s'aperçut que ce n'était pas sa mère. Elle n'ouvrit pas la porte et le serpent s'en alla et attendit un autre jour. Quand la mère revint des champs le soir, elle chanta sa chanson et la jeune fille, toute joyeuse, vint lui ouvrir la porte de la petite maison.

La voix de Granmé Melina prenait une tonalité stridente à l'annonce des dangers que courait cette jeune fille qui était, après tout, notre représentante dans l'histoire, le personnage dont les choix servaient de base à la leçon que nous allions tirer de tout cela.

Le lendemain, après le départ de la mère, le serpent revint sur le seuil de la maison et tenta une nouvelle fois de chanter la chanson de la mère. Cette fois-ci le serpent siffla si doucement que la fille sut qu'il ne fallait pas qu'elle ouvre la porte. Alors le serpent s'en alla, pour attendre un autre jour.

Les histoires de Granmé Melina n'avaient pas toujours une fin heureuse. Un jour, le serpent se rendit compte qu'il pouvait tuer la mère et, de la sorte, forcer la fille à sortir de la maison. Et c'est ainsi qu'il la tua en laissant la fille seule au monde. Mais la jeune fille ne quitta jamais la petite maison, préférant mourir seule, fraîche et pure, plutôt que de se risquer dehors pour affronter le serpent.

Ces soirs-là, assise aux pieds de Granmé Melina

avec les autres enfants à écouter ses histoires souvent
terrifiantes, je fermais les yeux et imaginais que c'était
ma mère, elle qui n'avait jamais beaucoup aimé ces
contes, qui me racontait l'un d'eux. Un soir, après
que Granmé Melina eut reçu un groupe d'enfants sur
la véranda, elle se plaignit de douleurs dans les articu-
lations et demanda à Tante Denise de lui faire un
massage avec du camphre et de l'huile de ricin avant
d'aller se coucher. La calant contre une pile d'oreillers, Tante Denise, qui depuis peu souffrait du diabète
et paraissait manquer d'énergie et perdre ce qu'il lui
restait de jeunesse, demanda à sa nièce Liline d'aider
Granmé Melina à passer sa chemise de nuit. Le père
de Liline, le plus jeune frère de Tante Denise, Linoir,
avait quitté Léogâne l'année précédente pour travailler
dans les plantations de canne à sucre en République
dominicaine. La mère de Liline avait très peu d'argent
pour élever ses six autres enfants et Linoir avait demandé à Tante Denise de prendre Liline en charge
jusqu'à son retour. Comme Marie Micheline, Bob,
Nick et moi, Liline était un enfant de plus qu'Oncle
Joseph et Tante Denise n'avaient pu refuser.

Liline et moi partagions des lits superposés métalliques à l'autre extrémité de la chambre de Granmé
Melina. Fort heureusement, les odeurs des cataplasmes
et des onguents odorants l'emportaient sur la puanteur
de l'urine qui s'élevait du lit inférieur où dormait
Liline. A dix ans, Liline mouillait encore son lit,
expliquant toujours, lorsqu'elle était grondée par
Tante Denise, qu'elle s'était vue en rêve faisant pipi

dans les toilettes lorsqu'elle avait mouillé son matelas. Je ne sais pas quand il fut décidé que Liline et moi devions partager une chambre avec Granmé Melina, mais nous aimions l'avoir pour nous toutes seules les soirs où, après avoir renvoyé tout le monde se coucher, elle avait encore d'autres histoires à raconter avant de s'endormir.

Ce soir-là, alors que Tante Denise tamponnait le front ridé de Granmé Melina avec du camphre et lui entourait ses tresses blanches comme du coton dans un foulard, Granmé Melina nous raconta l'histoire de la mère chanteuse, de la fille enfermée dans la maison et du serpent, un conte qui, d'après moi, n'avait qu'un seul but : faire peur aux enfants du voisinage. Mais je compris alors que l'histoire parlait surtout de Granmé Melina plus que de n'importe quel autre personnage. C'était elle, la fille prisonnière dans un cocon de maladies et de grand âge, alors que la mort demandait qu'on la laisse entrer d'une manière ou d'une autre. Cette nuit-là, Granmé Melina ne termina pas l'histoire et sombra abruptement dans un profond sommeil. Me rapprochant de la lampe à kérosène qui lui servait de veilleuse, je parcourus mon *Madeleine* qui réussissait à rendre même la maladie – dans le cas de Madeleine, il s'agissait d'appendicite – très amusante.

Le lendemain matin, un samedi, mon frère Bob vint me réveiller pour sortir et aller jouer avec lui. Bob avait alors neuf ans et était petit pour son âge. Enfant maigrichon, sujet aux accidents, il avait fallu l'emmener deux fois le même jour dans la clinique du

quartier, une fois pour lui faire un sérum contre le
tétanos après qu'il eut marché sur un clou rouillé en
sortant dehors pieds nus et la seconde fois pour s'être
enfoncé trop profondément un tampon de coton dans
le nez. Comme toujours, Bob était en compagnie du
fils de Maxo, Nick, qui avait dix ans, comme Liline et
moi. Les parents de Nick s'étaient séparés peu après la
naissance de Nick, sa mère étant partie au Canada et
son père à New York.

Nick portait un petit plateau avec un morceau de
pain et une thermos pleine de café. S'approchant du
lit de son arrière-grand-mère, il abaissa le plateau et le
plaça sur une surface plane à ses pieds.

« Elle dort encore ? » Nick regarda son visage. Il
était plus pâle qu'à l'accoutumée, ratatiné et grêlé. Ses
lèvres étaient plissées et ses mâchoires serrées comme
si elles étaient attachées l'une à l'autre. Le drap était
tiré sur sa poitrine dans la même position que lui avait
soigneusement donnée Tante Denise la veille au soir.

Je regardai sous sa couche. Son pot de chambre
était vide. Elle avait été immobile durant toute la nuit,
ce qui ne n'était pas habituel chez elle, dis-je aux
enfants, et ne s'était même pas levée pour faire pipi.

« Je croyais qu'elle avait demandé du café, dit Nick.
Ou est-ce que c'est Manman (comme il appelait à
présent sa grand-mère) qui l'a envoyé ? »

Soudain il me vint à l'esprit qu'elle pourrait être
morte. J'avais vu de nombreux cadavres, non pas dans
leur lit chez eux, mais dans l'église de mon oncle,
avant et pendant les obsèques.

Avant l'opération de mon oncle, une de ses fonctions importantes consistait à faire l'éloge des morts. Même après son opération, il assistait à tous les enterrements et, croyant qu'on ne devait pas cacher aux enfants ni l'idée ni la réalité de la mort, il nous emmenait souvent, Nick, Bob et moi, avec lui. Ce qui fait que la vue d'un cadavre n'était pas une chose neuve. Mais l'identification, la reconnaissance de la transition entre les vivants et les morts était une tâche inédite pour nous.

« On pourrait lui mettre un miroir sous le nez », suggéra Bob.

Avait-il entendu parler de quelqu'un qui avait fait cela ? Avait-il appris cela dans une de ses bandes dessinées que lui et Nick lisaient toujours ?

Il sortit en courant de la chambre et revint avec un des miroirs de poche de Tante Denise. Lorsqu'il plaça le miroir sous le nez de Granmé Melina, le verre resta inchangé. Il n'y avait pas de vapeur, pas de brume. Granmé Melina ne respirait pas.

« Regarde ses yeux », suggéra à son tour Nick.

Rapprochant son visage de celui de Granmé Melina, Bob souleva l'une de ses paupières. En me penchant, je vis ce qui ressemblait à une bille brune entourée de veines d'un rouge brillant.

« Li mouri, dit-il avec calme.

— Tu es sûr ? » demanda Nick.

La paupière ne se referma pas d'elle-même, aussi Bob dut l'abaisser avec le même index avec lequel il l'avait levée. A ce moment-là, nous n'eûmes plus aucun doute.

Jusqu'à son opération, un décès était toujours suivi d'une homélie éloquente de mon oncle, un sermon qui faisait écho à ce que m'avait dit mon amie : la mort peut venir d'un moment à l'autre.

« La mort est un voyage qu'on commence dès notre naissance, disait-il. Un sablier est retourné et le sable commence à s'écouler dans une direction différente dès que nous sortons des entrailles de notre mère. Grâce à Dieu, ceux qui nous entourent sont trop aveuglés par la joie pour s'en rendre compte. Autrement, on verserait des larmes à chaque naissance. Mais si nous pleurons un mort, c'est que nous ne comprenons pas la mort. Si nous voyions la mort comme une autre sorte de naissance, comme l'Evangile nous exhorte à la voir, nous ne pleurerions pas, mais nous nous réjouirions, tout comme nous le faisons à la naissance d'un enfant. »

Les homélies funéraires de mon oncle avaient rarement varié de ce schéma. Cependant, pendant les obsèques de Granmé Melina, alors qu'il était tranquillement assis sur son siège habituel à l'autel, des mots plus personnels avaient dû lui venir à l'esprit pour sa belle-mère. Car, à un moment durant l'office, lorsqu'un de ses pasteurs associés fut annoncé, il se leva de son siège et se précipita en direction du pupitre.

Assise sur le banc de devant avec sa sœur Léone et deux de ses frères, Tante Denise remuait d'un côté et de l'autre, mal à l'aise. Contrairement à Léone, qui portait une simple robe de coton noir à manches courtes, Tante Denise portait une robe de dentelle noire avec des gants et un voile assortis.

Nick se pencha vers Bob et moi et nous dit dans un murmure : « Qu'est-ce que fait Papa ? » (c'est ainsi qu'il appelait son grand-père). Nous étions assis sur la deuxième rangée de bancs, derrière Tante Denise, qui se retourna et nous lança un regard sévère alors qu'Oncle Joseph se tenait immobile derrière le pupitre. Tante Denise n'était pas du genre à dorloter les enfants et aurait très bien pu tirer l'un d'entre nous à part pour lui donner une fessée, même au beau milieu de la cérémonie funèbre de sa mère.

Tante Denise se retourna vers le devant de l'église et avec l'ensemble des fidèles regarda mon oncle. Avait-il oublié qu'il ne pouvait plus parler ? Devaient-ils s'attendre à un miracle ? Mais debout comme s'il était abasourdi et réduit au silence, le visage renfrogné, jetant un regard circulaire sur la salle – la mort de Granmé Melina étant peut-être venue lui rappeler que lui-même avait frôlé la mort –, il parut beaucoup plus bouleversé que les autres amis et parents de la défunte. Il tendit la main vers le micro, le retira de son support et le porta à la hauteur de ses lèvres. Il ouvrit la bouche et, comme il le faisait chaque matin avec son disque de l'école Berlitz, il prononça silencieusement un mot : « Good-bye. »

Quelques halètements de surprise se firent entendre au sein de l'assemblée des fidèles, venant peut-être des gens qui pensaient avoir entendu le même murmure que ceux d'entre nous qui avaient l'habitude de lire sur ses lèvres et parler pour lui croyaient souvent entendre. Cet enterrement, semblait-il vouloir nous dire, était différent de tous ceux auxquels il avait assisté et où il aurait aimé prendre la parole mais ne le pouvait pas : les enterrements de ces enfants morts de microbes et de virus dans les premiers mois de leur existence, les adolescents renversés par des automobilistes inconscients sur le chemin de l'école, les femmes victimes de la malaria, de la typhoïde ou de la tuberculose, les hommes battus à mort ou tués par balle par les sbires de François Duvalier et plus tard, après sa mort en 1971, par ceux de son successeur, son fils Jean-Claude. C'était une femme, une vieille femme, qui avait fait un long chemin depuis sa maison et qui avait vécu une très longue vie. Lui aussi espérait vivre une longue vie. Il avait échangé sa voix contre une guérison. Mais maintenant il ne pouvait même pas dire correctement au revoir.

Naissance

En 1974, à vingt-deux ans, l'année de mes cinq ans, Marie Micheline, la fille adoptive d'Oncle Joseph et de Tante Denise, se retrouva enceinte sans que personne s'en aperçoive. Malgré sa silhouette maigre et élancée, elle réussit à cacher son ventre grossissant pendant presque vingt-huit semaines, jusqu'au jour où elle dormit trop longtemps alors qu'elle devait passer un important examen pour entrer dans une école d'infirmières.

Lorsque Tante Denise alla la réveiller, elle la trouva dans sa chambre, couchée sur le dos, le nombril tendu droit vers le plafond.

« Joseph Nosius ! » cria Tante Denise à l'adresse de mon oncle, comme si Marie et elle étaient en danger mortel.

Oncle Joseph mit quelque temps à arriver, mais Liline et moi accourûmes aussitôt au chevet de Marie Micheline. Liline et moi adorions Marie Micheline parce qu'elle était gentille et jolie. Mais surtout pour une chose : même si elle était beaucoup plus âgée que nous, elle prenait parfois le temps de nous faire venir dans sa chambre ou de s'asseoir près de nous à la table familiale et de nous murmurer à l'oreille une histoire qui nous montrait combien nos parents absents nous aimaient. Mon histoire était celle des biscuits au beurre, qu'elle n'arrêtait pas de nous raconter. Je ne me souviens plus des détails de l'histoire de Liline, mais elle avait à voir avec son père qui l'avait laissée avec nous.

« Il t'aimait tant, disait-elle à haute voix à la fin de l'histoire, qu'il t'a laissée avec nous. »

Tante Denise haletait au-dessus d'elle, Marie Micheline bougea et se frotta les yeux encore pleins de sommeil. Ses cheveux coupés court étaient serrés dans des rouleaux à mise en plis en mousse et enveloppés dans un épais filet noir. Lorsqu'elle eut retiré ses mains de ses yeux, elle ne parut pas sûre de ce que nous faisions tous là.

« Tu ne peux plus rester dans cette maison. » Tante Denise la saisit par l'épaule et la secoua. « Ton père est pasteur. De quoi aura-t-il l'air si sa fille est enceinte sans un mariage béni par l'église ? »

Bien entendu, Tante Denise elle-même avait été enceinte et avait mis au monde Maxo sans cérémonie religieuse préalable. Mais son statut alors était bien différent. Elle était mariée civilement, même s'il n'y avait pas eu de mariage à l'église. Elle était amoureuse et vivait avec son homme et elle n'était pas encore membre de l'église.

Marie Micheline posa son regard sur son ventre, abaissa rapidement sa chemise de nuit et tira vers elle le drap qui avait glissé pendant son sommeil. Elle ne leva pas tout de suite les yeux quand Oncle Joseph entra enfin dans la chambre. A l'époque, il avait encore sa voix tranchante et assourdie et il la baissa encore d'un ton pour ramener le calme.

Assis au pied du lit, il caressa doucement les pieds de Micheline couverts par le drap.

« Qu'est-ce qu'il y a ? » demanda-t-il.

Marie Micheline le regarda dans les yeux. Je voudrais comprendre, semblaient-ils dire. Son long visage étroit, qui paraissait parfois aussi lisse et paisible que celui d'une poupée de plastique, se décomposa et elle éclata en sanglots.

« Elle est enceinte », hurla Tante Denise en écartant le drap et la chemise de nuit pour montrer à mon oncle le ventre de Marie Micheline.

Il eut le souffle coupé par la surprise. Le ventre de Marie Micheline était petit mais marqué de veines épaisses. Cependant il paraissait prêt à gonfler et à avaler l'espace occupé par ses seins.

« Combien de mois ? demanda-t-il.

— Sept », répondit Marie Micheline, tenant délicatement son ventre entre ses mains. Elle baissait intentionnellement son regard en évitant de son mieux de le porter sur une Tante Denise en proie à la colère.

« Est-ce que nous n'avons pas toujours tout fait pour toi ? s'écria Tante Denise d'une voix forcée,

suraiguë. Est-ce que nous ne nous sommes pas toujours bien occupés de toi depuis que tu es bébé ? »

Marie Micheline s'assit sur le lit et posa ses pieds sur
le sol.

« Je le savais, cria-t-elle. Je savais que tu réagirais
comme ça. Je suis enceinte, pas ingrate. »

Mon oncle leva les mains, pour demander le calme.
Puis il fit signe à Liline et à moi de quitter la pièce.

« Qui est le père ? » avons-nous entendu demander
au moment où nous partions.

Liline et moi ne nous éloignâmes guère du seuil de
la chambre. Le père, balbutia Marie Micheline, était
Jean Pradel, l'aîné de cinq frères qui vivaient dans la
ruelle, en face de chez nous. Jean avait quatre frères,
murmuraient souvent nos voisins, parce que la mère
aurait voulu une fille.

Les garçons Pradel étaient de beaux jeunes hommes, bien bâtis et, grâce au commerce florissant de
leur mère qui tenait une boutique de glaces et de
boissons gazeuses et à leur père qui avait une entreprise de confection de vêtements, ils avaient reçu une
bonne éducation. Le père, un homme au tempéra-
ment sombre et au caractère tatillon, toujours très
soigné de sa personne, passait ses journées de congé
dans le fauteuil à bascule de sa véranda immaculée.

« Est-ce que Jean sait qu'il est le père ? demanda
mon oncle. Est-ce qu'il va le nier et nous humilier ?
Ou est-ce qu'il va l'admettre et se comporter en
homme ?

— Je ne sais pas, répondit Marie Micheline.

— Lève-toi et habille-toi, lui ordonna mon oncle. Nous allons rendre visite à Monsieur et Madame Pradel. »

Liline et moi filâmes au plus vite quand ils quittèrent la chambre de Marie Micheline et se dirigèrent vers nous. Pendant que Marie Micheline s'habillait, Tante Denise et Oncle Joseph attendaient devant la porte de la chambre, sans échanger un mot.

Marie Micheline sortit dans l'uniforme blanc de son école d'infirmières, trop grand pour elle. Son ventre demeurait indécelable sous ses vêtements, mais elle s'efforçait moins de le cacher, laissant son corps se mouvoir avec naturel d'une manière qui montrait qu'elle luttait contre la mollesse et le surpoids.

Encadrée par les seuls parents qu'elle ait jamais connus, elle s'avança lentement vers la maison des Pradel.

L'entretien ne dura pas longtemps. Lorsqu'ils revinrent, on pouvait voir au regard furieux de Tante Denise et d'Oncle Joseph et à l'air abattu de Marie Micheline que Jean Pradel n'avait pas reconnu sa paternité.

« Tu vois ce qui arrive quand on couche avec des porcs », lança Tante Denise assez fort pour que les Pradel l'entendent quand ils s'assirent les uns contre les autres devant une table, près de leur porte d'entrée.

« Rassemble tes affaires, dit Tante Denise à Marie Micheline. Tu vas aller chez une de mes cousines à

Léogâne. Nous t'enverrons de l'argent et de la nourriture. Tu pourras revenir quand le bébé sera né.

— Ne nous précipitons pas, réussit à dire Oncle Joseph. Nous pouvons retourner là-bas et voir ce que dira le garçon. A l'évidence, il n'avait rien dit à ses parents et a été pris par surprise.

— C'est une affaire de femmes, dit Tante Denise. Laisse-moi m'en occuper. »

On ne nous donna pas l'autorisation de dire au revoir à Marie Micheline lorsqu'elle partit le lendemain. Beaucoup de nos voisins supposèrent qu'on l'avait envoyée à l'étranger pour retrouver Maxo. Tante Denise ne l'envoya pas à Léogâne, mais chez la mère de Liline, dans un quartier défavorisé de la ville, loin de Bel Air. Peu après les Pradel envoyèrent Jean à Montréal, où ils avaient des parents, et nous ne le revîmes jamais.

Durant les deux mois d'éloignement de Marie Micheline, Oncle Joseph et Tante Denise lui rendirent visite plusieurs fois mais n'emmenèrent jamais avec eux aucun des enfants. Après une de ces visites, je surpris une conversation dans laquelle Tante Denise disait à sa sœur Léone que Marie Micheline, le cœur brisé par le rejet de Jean Pradel, s'était mariée civilement.

« Qui voudrait épouser une fille enceinte ? demanda Léone.

— Un homme gentil qui veut donner un nom à un enfant abandonné, répondit fièrement Tante Denise.

— Il doit avoir une idée derrière la tête », rétorqua Léone.

Ensuite, nous apprîmes que le bébé de Marie Micheline était né, en bonne santé, et que c'était une fille. Mon oncle loua un petit appartement pour Marie Micheline, son nouveau mari et l'enfant, puis Tante Denise et lui allèrent les chercher pour les ramener à Bel Air. Ils payèrent plusieurs mois de loyer, le mari étant censé prendre le relais par la suite.

Nous savions peu de chose sur le nouveau mari de Marie Micheline hormis son nom, Pressoir Marol, et le fait qu'il avait une trentaine d'années. Après que mon oncle les eut installés dans leur nouveau logement, j'entendis un de ses amis dire de Pressoir qu'il parlait un peu espagnol, ce qui voulait dire qu'il avait dû travailler quelque temps comme ouvrier dans les plantations de canne à sucre ou dans le bâtiment, à Cuba ou en République dominicaine. Le fait que Pressoir marchait avec une légère claudication suggérait également qu'il avait pu être blessé en travaillant.

Marie Micheline, Pressoir et le bébé, baptisé Ruth, venaient souvent manger chez nous. En allant de son appartement à notre maison, Marie Micheline devait passer devant la maison des Pradel, où Monsieur Pradel était souvent assis dans sa véranda, soit en train de pédaler sur sa machine à coudre, soit à regarder la rue.

Un après-midi, Marie Micheline s'arrêta juste devant Monsieur Pradel et attendit qu'il lève les yeux et la reconnaisse. Comme il n'en faisait rien, elle tourna

la tête du nourrisson vers lui et lui dit : « Je ne m'intéresse plus à Jean, Monsieur Pradel. Où qu'il soit, je
veux juste qu'il reconnaisse sa fille.

— Est-ce que tu n'as pas déjà un mari ? » demanda
Monsieur Pradel sur un ton méprisant.

Vêtu de l'uniforme en toile de jean indigo des
tontons macoutes, Pressoir attendait sur notre véranda,
où Nick, Bob et moi jouions, et lui aussi entendit cet
échange. Il portait ce signe distinctif du macoute, les
lunettes de soleil réfléchissantes, qui lui cachaient
complètement les yeux. Furieux, il se rua sur Marie
Micheline et la saisit par le coude, manquant de lui
faire lâcher Ruth. On n'avait pas encore doté Pressoir
d'un revolver, ce qui est peut-être la seule raison pour
laquelle il n'avait pas abattu sur-le-champ Marie
Micheline et Monsieur Pradel.

« Tu n'es qu'une putain, une bouzen dévergon-
dée », hurla-t-il en poussant Marie Micheline dans
notre maison.

Mon oncle se porta au secours de Marie Micheline.
Pendant ce temps, Ruth s'était réveillée et hurlait.

« Qu'est-ce qui se passe ici ? » Mon oncle semblait
aussi perplexe devant la détresse de Ruth et les sanglots de Marie Micheline que devant l'uniforme
menaçant de Pressoir.

« Vous êtes macoute ? demanda mon oncle à Pressoir, tout en secouant la tête pour montrer son désarroi et sa désapprobation.

— Ma femme ne viendra plus ici, dit Pressoir sans
répondre à la question de mon oncle. Désormais, si

vous voulez la voir, elle et bébé, il faudra que vous veniez chez nous. »

Tante Denise sortit en trébuchant de sa cuisine et essuya la sueur de son front sillonné de plis avec un coin du foulard à fleurs qu'elle portait sur la tête.

« Qu'est-ce que vous dites ? demanda-t-elle, en sanglotant à son tour. Elle est notre fille. Et c'est notre petite-fille.

— Je dis ce que je dis, répondit Pressoir. Je pensais qu'elle venait ici pour vous voir. Ce n'est pas ce qu'elle fait. Alors elle n'est plus autorisée à venir. »

Deux jours plus tard, Pressoir emmena Marie Micheline et Ruth hors de l'appartement que mon oncle avait loué pour eux. Il laissa à son propriétaire un mot pour ma tante et mon oncle les informant qu'il avait maintenant des balles et qu'il avait interdit à Marie Micheline de voir quiconque. Pour les empêcher de trouver Marie Micheline et Ruth, il les faisait déménager après un bref séjour chez d'autres macoutes, les séparant parfois en confiant Ruth à des étrangers.

Mon oncle réussit malgré tout à les localiser, près de l'océan, à quelques kilomètres au sud de Port-au-Prince, et alla leur rendre visite en l'absence de Pressoir. Mais celui-ci eut vent de son passage et emmena sa femme et l'enfant à la périphérie de Latounèl, un petit village au cœur des montagnes de Léogâne.

Après être resté deux mois sans aucun mot de Marie Micheline, mon oncle apprit où elle se trouvait par un ami de la famille qui vivait dans la même région. Il décida que, quels que soient les risques, il irait là-bas et la ramènerait à la maison.

Grimpant en plein midi par de rudes sentiers de montagne sur un mulet qu'on lui avait prêté, mon oncle pensait qu'il n'arriverait jamais au village. Le mulet avançait à allure régulière, mais mon oncle avait chaud, la soif le tenaillait, il était en sueur et sa tête ainsi que son dos le faisaient souffrir. Malgré tout, il ne pensait qu'à une chose, revoir Marie Micheline et le bébé. Il se reprochait d'avoir laissé Tante Denise la chasser de la maison quand elle était enceinte. Pourquoi ne l'avait-il pas forcée à annuler son mariage ? Il aurait dû être plus attentif, beaucoup plus méfiant. Qui épouse une fille enceinte – comme Léone l'avait demandé –, même une jeune femme aussi jolie et aussi élégante que Marie Micheline, à moins de cacher quelque chose ? Dans le cas de Pressoir, il semblait que ce quelque chose était la cruauté et la folie.

Lorsqu'il atteignit le village, mon oncle se dirigea vers l'habitation du plus haut fonctionnaire, le chef de section, un vieil homme édenté qui, avec son uniforme en toile de jean amidonné et ses lunettes de soleil réfléchissantes, le faisait songer à un Pressoir beaucoup plus jeune.

« Un homme qu'on ne peut pas regarder dans les yeux n'est pas quelqu'un en qui on puisse avoir confiance », avait coutume de dire son père, Granpé Nozial.

Les macoutes avaient tous la même allure, un vernis

grossier sous lequel les minces paraissaient corpulents et les petits paraissaient grands. Au bout du compte, ils étaient tous pareillement intimidants car ils représentaient le gouvernement. Que ce fût Pressoir ou ce vieil homme, l'un comme l'autre avaient pouvoir de vie ou de mort sur mon oncle et sur sa fille.

Posant avec crainte la main sur l'épaule du vieillard, mon oncle dit : « Père, vos cheveux sont assez blancs et vous êtes assez vieux pour que je puisse vous appeler père, s'il vous plaît aidez-moi, moi un autre père, à libérer ma fille de son esclavage. »

Il donna au vieil homme l'équivalent de cinq dollars américains, qu'il souhaita aussitôt récupérer quand le vieil homme lui dit : « Pressoir est un grand chef maintenant, un macoute de la ville. Personne d'ici ne peut s'opposer à lui. Votre fille n'est pas la seule fille qu'il garde dans cet état. Il y en a beaucoup d'autres. Beaucoup.

— Alors, s'il vous plaît, père, plaida mon oncle tout en s'efforçant de garder son calme, faites-moi une seule faveur. Oubliez que vous m'avez vu, mais je ne partirai pas sans ma fille et son enfant.

— Je ne lui dirai rien », répondit le vieil homme en empochant l'argent. Puis, à contrecœur, il donna à mon oncle les indications pour atteindre la petite maison d'une pièce où Marie Micheline vivait.

Mon oncle trouva la maison sur une colline voisine, puis attacha le mulet dans un endroit retiré où l'animal pouvait brouter et où il se reposa jusqu'au crépuscule. Lorsque la lune apparut à l'horizon, il aperçut Pressoir partir en grand uniforme, sans doute pour assister à une réunion. Son cœur se mit à battre la chamade. Que se passerait-il s'il y avait quelqu'un d'autre dans la maison? Si Pressoir revenait? S'il échouait et rendait les choses pires pour Marie et le bébé?

Finalement il rassembla son courage et grimpa sur la colline en direction de la minuscule bâtisse. Marie Micheline était allongée sur le dos sur une natte de feuilles de bananier tressées et, hormis un pot de terre et une lampe à kérosène, c'était la seule chose qu'il y avait dans la petite cabane. Les murs de calcaire étaient couverts de papier journal, de fragments de revues défraîchies qu'elle avait dû, imagina-t-il, lire et relire pour ne pas perdre espoir et conserver son calme.

« Vini, dit mon oncle, en se baissant et en la tirant pour la prendre dans ses bras.

— Papa, c'est vraiment toi? » murmura-t-elle. Il s'aperçut alors que ses jambes étaient couvertes de cloques emplies de pus, de blessures ouvertes et décolorées. Son visage décharné était chaud et moite. Elle avait de la fièvre.

« Il m'a battue. Il m'a donné des coups sur les jambes avec un balai, avec des silex quand j'ai essayé de m'enfuir. » Elle se mit à pleurer et, sur le bras d'Oncle Joseph, les larmes de Marie Micheline étaient plus chaudes que sa peau.

« Où est Ruth? » demanda-t-il.

Elle montra du doigt la porte, en direction d'une

autre colline. L'enfant était chez une autre famille, un peu plus bas sur le chemin, murmura-t-elle.

« Ce sont de bonnes personnes. Ils me la donneront, dit-elle.

— Alors, allons-y. » Au moment où ils sortaient de la maison, elle trébucha, se rattrapant de justesse avant de tomber la tête la première. Il la prit dans ses bras, et songea qu'elle lui faisait le même effet que le jour où son père l'avait placée dans ses bras alors qu'elle n'était qu'un bébé, en espérant qu'il s'occuperait d'elle, qu'il la protégerait toujours.

Dehors, le ciel nocturne était empli d'étoiles, de ces étoiles qu'on prend rarement le temps d'observer en ville, comme il l'avait fait presque toutes les nuits quand il était jeune.

« Papa, chuchota-t-elle, la bouche si près de son oreille que son souffle lui brûla les lobes. Papa, même si les hommes ne peuvent pas donner naissance aux enfants, tu viens d'en mettre un au monde, ce soir. Moi. »

Le retour

Un après-midi d'octobre 1976, alors que j'avais sept ans, Bob, Nick et moi étions assis dans la véranda de mon oncle, occupés à apprendre par cœur, comme tous les autres écoliers de Haïti, nos leçons pour le lendemain, lorsque nous vîmes d'étranges silhouettes tourner à l'angle de la rue Tirremasse et s'engager dans l'allée vers nous.

L'une d'elles était un homme vêtu d'un costume trois-pièces marron qu'il semblait avoir mis pour la première fois. Il avait un porte-documents dans une main et de l'autre tenait un petit garçon par l'épaule. Une femme grassouillette suivait, un bébé dans les bras. Derrière eux arrivaient un chauffeur de taxi et plusieurs autres jeunes hommes avec quatre grosses valises qu'ils posèrent à nos pieds devant la véranda.

La première chose que je remarquai lorsque je quittai des yeux les bagages pour lever la tête fut le sourire de l'homme, un sourire énorme, largement ouvert. Deux de ses dents de devant étaient en or.

« Edwidge, c'est Papa », dit-il en pressant ce sourire épanoui contre le côté de mon visage. Il sentait une eau de Cologne dont je ne pouvais pas reconnaître le parfum et qui évoquait le voyage et des lieux éloignés.

Etait-ce vraiment mon père, me demandai-je, cet homme mince, à l'air heureux, avec cette épaisse barbe qui lui caressait la clavicule quand il baissait la tête ? Il ne me quitta des yeux que quelques secondes, le temps de plonger sa main dans sa poche pour payer le chauffeur et les jeunes qui avaient porté les bagages.

Jusqu'alors, hormis les gâteaux au beurre et les mots maîtrisés de ses lettres, mon père n'avait guère été pour moi qu'un sentiment, puissant mais vague, sans vrai visage, sans vrai corps, contrairement à ce père surgissant au-dessus de ce petit garçon couleur noisette qui levait ses yeux vers Nick, Bob et moi.

« Edwidge ? » Ma mère s'avança dans la véranda, venant ainsi compléter le cercle de famille.

« Viens embrasser ta manman », dit-elle.

Elle avait l'air plus replète que dans mon souvenir et sa peau cuivrée beaucoup plus claire. Le bébé qu'elle tenait dans les bras dormait.

« Manman ? » Bob resta mâchoire pendante. Il courut vers elle et appliqua un baiser sur le premier endroit que ses lèvres purent toucher sur son corps, la jupe en laine écossaise qui lui couvrait les jambes. Tenant le bébé en équilibre d'un seul bras, elle tendit la main vers Bob et lui caressa la tête, doucement, tendrement, pendant un long moment. Il resta ainsi collé à la jupe, enfouissant le visage comme s'il pleurait en se cachant pour que nous ne puissions pas le voir.

Je pensais qu'il l'avait oubliée. Elle était partie quand il avait deux ans, l'âge que j'avais à l'époque du départ de mon père, mais tout ce qui l'attirait vers elle – désir, souffrance, curiosité – m'en éloignait.

« Bob. » Mon père se baissa pour l'écarter avec douceur.

Bob se tourna vers le visage de mon père et lui posa un baiser sur la joue. Mon père, content, frotta la tête de Bob avec sa paume.

« Voilà ton frère Kelly », dit mon père en lui présentant le petit garçon qui se tenait à côté d'eux.

C'est grâce à Kelly que nos parents avaient pu retourner en Haïti. Même s'ils étaient restés plus longtemps que leurs visas de tourisme ne les y autorisaient, la naissance de Kelly sur le territoire américain leur avait instantanément donné le droit à une carte de séjour permanente, ce qui n'est plus possible aujourd'hui.

Cependant, avant que les choses ne soient confirmées de façon définitive, il leur fallait remplir un dossier au consulat de Port-au-Prince. Ce n'est qu'alors qu'ils pourraient déposer une demande pour que Bob et moi puissions les rejoindre à New York.

« Il n'y a pas de granmoun ici ? » demanda mon père en me tapotant gentiment l'épaule.

Nous étions à la fin de l'après-midi, peu de temps avant le dîner. Les porteuses d'eau venaient de remplir leurs seaux à la fontaine municipale près du lycée Pétion et, d'une voix chantante, lançaient l'appel que nous attendions parfois quand notre réserve était au plus bas.

Dlo, dlo, dlo pou vann! J'ai de l'eau à vendre!

Dans le virage où la ruelle s'incurvait vers la rue, Boniface, le forgeron, façonnait à coups de marteau un baril de pétrole pour en faire une plaque. Il la transformerait ensuite en une couronne qu'il vendrait au cimetière. Deux des frères Pradel récitaient à haute voix leurs leçons, chacun leur tour, comme un refrain. Deux autres improvisaient un match de football sur la véranda de leurs parents avec une boîte vide de lait Carnation. Leur bonne, une fille plus jeune qu'eux tous, se mit à brûler les ordures qu'elle avait accumulées toute la semaine, ce qui remplit aussitôt la ruelle d'une fétide fumée blanche.

Mes parents entrèrent dans la maison pour se protéger de la fumée. Guidé par Bob et Nick, mon père ferma les stores et empila ses valises près de quelques fauteuils dans la salle de séjour.

Tante Denise préparait le repas du soir et Oncle Joseph faisait la sieste. Je dis à Bob d'aller la chercher, puis je me précipitai dans la pièce où mon oncle dormait roulé sur le côté, torse nu. Il se réveilla en sursaut lorsque je le secouai en lui lançant une chemise étalée sur sa table de nuit.

« Mon père et ma mère sont ici », lui dis-je.

Il me regarda comme s'il m'avait poussé deux têtes. Cependant, il s'habilla rapidement et me suivit.

« Fré m. » Mon père se jeta dans les bras de mon oncle.

« Pourquoi ne m'as-tu pas dit que vous veniez? » demanda mon oncle.

Ils restèrent l'un contre l'autre pendant quelque temps, enlacés, comme s'ils ne pourraient jamais se détacher l'un de l'autre. S'écartant le premier, mon père laissa la marque de son visage humide sur la chemise de mon oncle.

« Mesi fré m, dit mon père. Merci de t'être occupé de mes enfants.

— Mira », répondit mon oncle en riant. Mira était le surnom de mon père, une abréviation de Miracin, son deuxième nom. C'est ainsi, comme je l'appris, que tout le monde l'appelait. « Ces enfants se sont presque occupés d'eux tout seuls. »

Tante Denise sortit en courant de la cuisine, et bien que joyeuse, ce qui ne lui ressemblait guère, elle ne put s'empêcher, en agitant le doigt, de reprocher à ma mère de ne pas l'avoir prévenue de leur arrivée. Mon père demanda à Bob et à Nick d'aller lui acheter un paquet de cigarettes et ils se précipitèrent vers le kiosque dans la rue, heureux d'avoir été chargés d'une tâche aussi importante.

« Viens », me dit ma mère, en tapotant la chaise à côté de la sienne. Elle avait une odeur de noix de coco, qui, je m'en aperçus peu après, devait venir de sa pommade à lustrer les cheveux. Sa voix, sèche, rapide, s'était peu à peu effacée de ma mémoire. Je voulais me pencher vers elle et placer ma tête sur son bras, comme je l'avais fait à l'arrière de la voiture le jour de son départ, mais j'étais trop timide pour ça.

Le nourrisson s'était réveillé, la face ronde plissée et ridée.

« Son nom est Karl, dit-elle, et il a deux mois. »

En regardant Karl, bercé dans les bras de notre mère, je ne pus m'empêcher de l'envier. Si elle avait pu l'amener ici de New York, pourquoi n'avait-elle pas été capable de nous emmener, Bob et moi, avec elle quand elle était partie ? Mais je me rendis compte en observant sa façon de s'arrêter de temps en temps pour passer ses doigts sur son visage et sur le mien qu'elle comptait bien qu'il soit un lien entre nous.

« Est-ce que je peux le tenir un peu ? » demandai-je.

N'étant pas alors habituée à tenir des bébés, je ne sus comment réagir lorsqu'elle se pencha vers moi et posa dans mes bras ce petit corps frétillant et boudiné.

Le reste de la famille accourut dès que la nouvelle de l'arrivée de mes parents se répandit. Rassemblés dans la salle de séjour se retrouvèrent Tante Zi et Tante Tina, les frères de Tante Denise, Georges et Bosi, Marie Micheline et la petite Ruth, âgée de deux ans, qui, avec Kelly, gambadait, sautillait et rampait entre nos jambes. Tirant sur une cigarette, mon père allait de-ci de-là en souriant à tout le monde. Certains membres de ma famille, dont mes tantes, et même des étrangers qui virent mon père durant cette visite, me dirent qu'ils lui avaient trouvé un charme magnétique et contagieux, presque comme celui d'une vedette de cinéma ou d'un homme politique. Cela dit, comme me l'affirma plus tard mon père, il était facile d'être charmeur quand on rentre chez soi et que c'est un voyage dont on a rêvé depuis longtemps, qu'on a répété et pour lequel on s'est entraîné en esprit pendant des années. Même la cigarette était pour lui comme un objet dont se sert un acteur dans une pièce, un acteur qui, dans son cas, jouait le rôle de quelqu'un souhaitant être autre chose qu'ouvrier d'usine ou chauffeur de taxi.

Cette nuit-là, cigarette après cigarette, mon père nous raconta New York.

« A quoi ressemble la neige ? » demanda Georges, le frère aîné de Tante Denise.

Mon père ne nous dit pas que la neige pouvait être froide et humide ou glissante et dangereuse quand elle était durcie et gelée. Il ne nous dit pas la beauté de chaque cristal ou qu'elle ressemblait à une grosse couverture sur un lit défoncé quand elle atteignait plusieurs dizaines de centimètres d'épaisseur. La seule chose avec laquelle nous devions la comparer, nous dit-il simplement, était la grêle.

« J'ai entendu dire que New York était une ville dangereuse, dit Bosi, l'autre frère de Tante Denise. Aussi dangereuse qu'ici avec les macoutes. »

Cela amena mon père à nous conter deux histoires plus ou moins véridiques qui couraient les rues de New York où vivait la communauté haïtienne. Une femme était attaquée toutes les semaines dans l'ascenseur de son immeuble par un jeune homme masqué. Un jour, elle emporta un couteau de cuisine dont elle se servit pour poignarder son agresseur. Quand elle retira le masque du voleur, elle s'aperçut que c'était son fils. Dans l'autre histoire, un jeune homme avait montré à des compagnons de classe les cinq mille dollars que sa mère cachait sous son matelas et dans la bataille pour l'argent qui avait suivi, la mère avait été abattue.

Mon père racontait ces histoires comme s'il les avait vues se dérouler sous ses yeux, qu'il s'était trouvé dans l'ascenseur ou dans la chambre. Quand il parlait, son auditoire l'écoutait bouche bée, avec un effroi mêlé de respect et d'admiration pour son courage.

« New York, comme Haïti aujourd'hui, dit-il, faisant rebondir sur ses genoux un Kelly visiblement fatigué, est un endroit où seuls les braves survivent. »

Mon père bâilla, en nous rappelant que lui et ma mère, accompagnés de Kelly et Karl, avaient un rendez-vous au consulat américain le lendemain matin de bonne heure. En me préparant à me coucher, je me demandai si Bob et moi pourrions changer nos dispositions habituelles pour la nuit – lui avec Nick et moi avec Liline – et rejoindre notre famille prodigue. Mais la place manquait. Dans l'une des deux chambres de réserve, mon père et Kelly partageaient déjà la même couchette afin que ma mère et Karl puissent avoir un lit pour eux.

J'attendis que tout le monde dans la maison soit couché pour aller leur dire bonne nuit. Marchant sur la pointe des pieds, je frappai doucement à la porte pour ne pas réveiller le bébé. Ma mère dormait déjà avec Karl à ses côtés. Avant qu'elle nous quitte, une nuit, elle et Bob s'étaient endormis côte à côte, tout comme elle était à présent avec Karl. Ce fut pour moi la première expérience d'une jalousie déchirante.

Il ne restait que mon père à qui je pouvais souhaiter bonne nuit et Kelly dont les yeux étaient entrouverts, ses cils d'une extrême longueur hésitant entre veille et sommeil. Craignant les poils drus de la barbe de mon père, je fermai les yeux lorsque je lui déposai un baiser sur la joue. Et même quand il m'attira vers lui dans ses bras, et me tapota les côtes de son doigt pour me faire rire, j'étais encore certaine que, dès que j'ouvrirais les yeux, il serait parti.

Le lendemain matin, mes parents partirent au consulat dès l'aube. Pendant que Bob, Nick et moi prenions notre petit déjeuner, la maison semblait étrangement vide. Leur présence soudaine, mais dès lors vitale, manquait.

Donnant des signes d'impatience sur le bord de son siège, Bob dit : « Manman et Papa avaient un rendez-vous. Ils vont revenir.

— Tais-toi, lui ai-je ordonné. Tu ne sais pas de quoi tu parles.

— Je sais », dit-il. Sa bouche se plissa et il sembla sur le point de pleurer.

Je pouvais l'imaginer annonçant aux autres enfants

de sa classe que ses parents qui, comme ses camarades le savaient, vivaient à New York, étaient de retour. Il ne semblait pas comprendre qu'ils n'étaient pas revenus pour de bon.

De retour de l'école, nous trouvâmes mon père assis dans le salon près de mon oncle, feuilletant tous les deux un paquet de photos des obsèques de leur mère. Granmé Lorvana était morte peu après le déménagement à Bel Air et fut le premier membre de la famille à ne pas être enterré à Beauséjour. Ce fut le premier cortège funéraire de notre clan et des musiciens dont on avait loué les services suivaient le corbillard vers un mausolée construit récemment. Sur les photos de l'enterrement de leur mère, mon père, jeune et moustachu, se tenait devant le monument tout neuf avec ses frères et ses sœurs.

« Regarde celle-ci. » Mon père tendit une des photos à mon oncle, ce qui me rappela comment Bob et moi cherchions parfois à retenir son attention. Pendant la plus grande partie de la vie de mon père, mon oncle avait plus eu une image de parent que de frère. Ayant douze ans de différence − à son époque, mon oncle aimait à dire qu'un garçon de douze ans était déjà un homme −, aucun des deux ne se souvenait avoir jamais joué ensemble. A la naissance de mon père, mon oncle était trop occupé à étudier, à travailler et à faire de son mieux pour aider la famille.

« Comment s'est passée l'école ? demanda mon oncle en quittant des yeux les photos pour nous regarder, Bob et moi.

— Comment ça s'est passé? » reprit mon père en écho.

Bob traversa la pièce et, ignorant complètement mon oncle, sauta sur les genoux de mon père.

« D'accord, voilà quelque chose que je n'oublierai pas », dit mon oncle sur le ton de la plaisanterie.

Je me penchai et les embrassai tous les deux sur la joue, en m'assurant, après le manque d'égards dont Bob avait fait preuve, de commencer par mon oncle. Pendant ce temps, mon père plongea la main dans sa poche et donna à Bob une poignée de *cents* américains. Certaines des pièces étaient neuves et brillantes, d'autres plus sombres et plus anciennes. Quand mon frère tenta de les tenir en équilibre dans sa petite main, plusieurs glissèrent et tombèrent au sol, roulant hors de notre vue sous les canapés et les fauteuils.

Des semaines, des mois après le départ de mon père, je découvrirais ses cents dans toute la maison, dans les moindres creux du plancher de la salle de séjour, entre les matelas de la couchette où il dormait. Avant de décider ce que j'allais en faire, j'enveloppais les pièces dans du papier blanc et dessinai la silhouette d'un homme sur un côté, un homme avec une barbe semblable à celle de mon père.

Quand on leur accorda leurs cartes de séjour, mes parents envisagèrent de rester une semaine supplémentaire. Mais ils durent réduire leur visite lorsque

Kelly et Karl furent victimes de diarrhée. Mon oncle les emmena dans la clinique du quartier où Marie Micheline travaillait comme infirmière en chef. Le médecin conseilla à mes parents de présenter sans tarder les garçons à leurs médecins habituels aux Etats-Unis.

Cette fois-ci, ma mère paraissait anxieuse en serrant contre sa poitrine un Karl qui s'agitait nerveusement. Sur le trajet vers l'escalier extérieur menant à l'avion, mon père demanda à Kelly d'agiter la main vers le patio du deuxième étage où Oncle Joseph, Tante Denise, Bob et moi nous nous tenions. A l'entrée de l'avion, ma mère serra Karl dans ses bras et libéra une de ses mains pour répondre à nos saluts. Ils ne nous avaient rien dit. Reviendraient-ils ? Pourrions-nous les rejoindre dans un avenir proche ? Jamais on ne nous donnait directement des informations, pensais-je même alors. Cela impliquerait que nous ayons notre mot à dire alors que nous n'avions pas voix au chapitre.

A l'aéroport, je pensais que je pourrais pleurer, piquer une colère comme je l'avais fait lors du premier départ de notre mère, mais je n'en fis rien, et Bob non plus. Nous étions plus âgés alors et plus habitués à vivre sans eux qu'avec eux. Au moins, pensé-je dans mon souvenir, nous les avions revus.

Un Papa heureux, un Papa triste

En 1980, quatre longues années après la visite de mes parents, le consulat américain écrivit à mon oncle pour lui demander que Bob et moi soyons examinés par un médecin afin de déterminer si nous étions en assez bonne santé pour entrer aux Etats-Unis. J'avais onze ans.

Comme généralement cette visite médicale était la dernière étape avant l'approbation définitive d'une demande de visa, tout le monde commença à me parler comme si j'étais déjà partie.

« A New York, me dit Tante Denise, il faudra que tu sois gentille et que tu aides ta mère. »

« A New York, me dit Marie Micheline, il faudra que tu m'écrives toutes les semaines afin d'entretenir ton français. »

« A New York, me dit Nick, n'oublie pas de m'acheter une belle montre. »

« A New York, me dit Liline, n'oublie pas de m'acheter un collier en or. »

J'ai bien entendu tout accepté. Quand je serai à New York, ai-je alors pensé, je deviendrai esclave s'il me faut tenir toutes les promesses que j'ai faites.

Cependant, entre nous et New York, se dressait un obstacle représenté par la liste de médecins homologués par le consulat et l'examen approfondi qu'on leur demandait d'effectuer.

Mon oncle choisit un médecin dont la clinique, selon son intuition, occupait un juste milieu entre le monde de nos parents et le nôtre. Sur les murs de sa salle d'examens, on pouvait voir des affiches recommandant des principes d'hygiène en créole, en français et en espagnol, ainsi que des diplômes et certificats d'universités haïtiennes et américaines.

Le médecin, un homme de petite taille au torse puissant, avait la peau de la même couleur que ses cheveux crépus, séparés par une raie sur le côté. En repoussant ma tête en arrière et en m'ouvrant la bouche, il me parla en français, puis répéta la même phrase en anglais.

« Parce qu'il te faudra bientôt apprendre l'anglais, dit-il. Because you'll soon have to learn english. »

Pendant que Bob et mon oncle regardaient la scène, il me fit tirer la langue, palpa mon cou à la recherche de glandes enflées, écouta mon cœur et mes poumons avec son stéthoscope, puis me frappa les genoux avec un petit marteau, ce qui fit soulever mes jambes involontairement. Après avoir fait de même avec Bob, il écrivit une ordonnance pour une radiographie à faire à l'hôpital public de la même rue.

La petite salle d'attente sans fenêtres du service de radiographie de l'hôpital public contenait beaucoup trop de patients pour assurer à tous le confort néces-saire. Certains, déjà hospitalisés, étaient couchés sur des chariots dans l'étroit couloir d'accès. D'autres étaient assis sur les quelques chaises disponibles ou sur le béton écaillé du sol, leurs membres fracturés enve-loppés dans des bandages et des écharpes faits maison. D'autres encore essayaient de tousser discrètement tout en se tenant la poitrine et en cachant les taches rouges et brillantes qu'ils expectoraient dans leur mouchoir, signe certain de tuberculose.

Quand mon tour arriva, je suivis l'opérateur dans une pièce sombre occupée par une machine géante. On demanda à mon oncle et à Bob de rester à l'extérieur, me laissant dans le noir seule avec l'étranger. La lueur fut comme un éclair. L'opérateur revint me voir, me plaçant cette fois-ci de profil.

Mon oncle et moi attendîmes dans le couloir pen-dant que Bob subissait à son tour le même traitement. Faisant les cent pas, mon oncle baissait la tête, les deux mains dans les poches. Depuis son opération, les hôpitaux le rendaient extrêmement anxieux.

Quelques jours plus tard, le médecin envoya un mot nous demandant de revenir dans son bureau. Lorsque nous entrâmes dans sa salle d'examens, il portait un masque chirurgical blanc.

« Les radios sont arrivées », dit-il en regardant uniquement mon oncle. Sa voix était légèrement déformée par le masque, alors il parla un peu plus fort pour être certain que mon oncle l'entende bien. « Il y a un problème. »

Il savait que mon oncle ne pouvait pas parler et n'attendait pas de réponse.

« Tout montre que ces enfants, dit-il en jetant un coup d'œil rapide à Bob et à moi, ont la tuberculose. »

Mon oncle leva ses deux sourcils qui exprimaient son désarroi. J'étais tout aussi surprise que lui. Après tout, nous n'avions pas eu cette toux qui nous aurait fait cracher du sang. Faudrait-il maintenant que nous soyons mis en quarantaine, envoyés en sanatorium ?

Une des cousines de Liline, qui s'appelait Melina, en hommage à Granmé Melina, avait eu une véritable tuberculose à l'âge de seize ans. Elle avait rendu visite à Liline de temps à autre et j'avais observé qu'elle devait régulièrement interrompre ce qu'elle faisait pour se pencher en avant et tousser. Envoyée un peu plus tard dans un sanatorium, elle était morte quelques semaines après son dix-septième anniversaire.

Comme je dormais en haut des lits superposés, les quelques nuits que Melina avait passées à la maison, tandis que Liline et elle occupaient le bas, avaient probablement suffi à me contaminer et c'est ainsi que j'avais ensuite transmis la maladie à mon frère. Ou c'est peut-être Bob qui l'avait attrapée d'un camarade d'école, un garçon qui ne savait même pas qu'il était malade, et c'est de cette façon que j'avais contracté la tuberculose.

« Heureusement, leur tuberculose n'est pas active, ajouta le docteur, mais il nous faut la traiter immédiatement pour être certain qu'elle ne va pas le devenir. Le traitement durera six mois. »

Est-ce que cela signifie que je ne vais pas mourir? aurais-je voulu demander.

La bouche de mon oncle se rétrécit en un petit O. Six mois de traitement voulait dire six mois de plus en Haïti. Six mois supplémentaires avec nos oncle et tante et notre cousine et nos amis, mais également six mois supplémentaires loin de nos parents et de nos frères. A ce moment précis, assise sur la vieille chaise d'osier piquante du médecin, je me souciais peu de tout cela. Mais je ne voulais pas avoir la tuberculose et je ne voulais certainement pas mourir.

Je repenserais à ce moment quand, au début de la maladie de mon père, après une semaine d'hospitalisation suite à une visite aux urgences pour des problèmes respiratoires, il fut mis en quarantaine à l'hôpital de Coney Island parce que sa cuti s'était révélée positive. Les médecins n'avaient pas éliminé la possibilité d'une tuberculose et on ordonna à toutes les personnes travaillant à l'hôpital, ainsi qu'aux visiteurs, de porter un masque chirurgical avant de s'approcher de son lit dans une section isolée du service. Se rappelant sans doute les horreurs de la tuberculose – elle fut jadis, aussi mortelle que le sida dans les premières années de l'épidémie –, le spectre de mortalité qu'elle représentait, et le fait qu'à Bel Air le mot « tibékile », tubard, lui avait souvent été adressé comme une insulte quand il était en quarantaine à l'hôpital de Coney Island, mon père demanda à mon frère Karl de dire aux médecins qu'il y avait de nombreux Haïtiens qui avaient une cuti positive sans avoir une forme active de la tuberculose.

« Je n'ai pas cette maladie, insistait-il. Dis-leur. »

« Nous n'avons pas cette maladie », voulais-je crier ce jour où le docteur nous donna – ou plutôt donna à notre oncle – ses directives.

« Même s'ils ne sont pas contagieux, nous ne serons jamais trop prudents, dit le médecin. Ils doivent dès maintenant utiliser leurs propres ustensiles de cuisine. Ils ne doivent pas les partager avec d'autres. »

Comme nous partagions tous nos repas et nos couverts à la maison, cette pratique rappellerait en permanence, à nous et à tout le monde, que nos corps recelaient un bacille contagieux potentiellement mortel.

« Ils doivent suivre le traitement de façon rigoureuse, poursuivit le médecin. Ils doivent prendre leurs pilules tous les jours ou c'est le bacille qui l'emportera et viendra infecter d'autres parties de leur corps. Si la radiographie donne les mêmes indications dans six mois, ils ne pourront pas partir. »

Il rédigea deux ordonnances qu'il tendit à mon oncle.

« N'oubliez pas, nous recommanda-t-il en nous regardant enfin en face. Tous les matins, quand vous prendrez vos pilules, vous vous rapprocherez de New York. »

Mon oncle s'arrêta dans une pharmacie de Grand Rue où sa plus jeune sœur, Tante Zi, avait un comptoir de papeterie. Entourée d'une montagne de stylos et de carnets, Tante Zi sauta de sa chaise et prit aussitôt Bob dans ses bras.

De toutes les sœurs de mon père, Tante Zi était la plus enjouée. De petite taille et empâtée, ce qui, au mieux de sa forme, lui donnait l'aspect et la douceur d'un oreiller de plume, elle aimait nous attirer dans ses bras, Bob et moi, chaque fois qu'elle nous voyait et plonger son visage dans notre cou en nous chatouillant du bout de son nez.

Bob et elle se livraient à ces embrassades lorsque j'intervins sans préambule, d'un ton abrupt : « Tu ne peux plus faire ça.

— Et pourquoi pas ? » Elle lâcha Bob, en lui tendant un stylo tout neuf et un carnet pour y griffonner alors qu'il s'installait sur le tabouret devant elle.

« Parce qu'on a la tuberculose », dis-je.

Elle parut abasourdie et leva les yeux vers mon oncle pour avoir confirmation. Il haussa les épaules, puis frappa une main sur l'autre avec l'air de dire : « Qu'est-ce qu'on y peut ? »

Comme pour répondre à cette question, Tante Zi me fit signe d'avancer vers elle et comme elle le faisait toujours, me prit dans ses bras et plongea avec douceur son nez dans mon cou.

A partir de ce jour, chaque matin avant de partir à l'école, même sous le regard ébahi d'autres enfants qui passaient devant la maison, mon oncle nous plaçait en ligne, Bob, Nick et moi dans la véranda tandis que Tante Denise tenait nos tasses emplies d'eau – les nôtres, que nous ne devions échanger avec personne – et nous tendait les cachets semblables à de l'aspirine censés nous guérir. Nick « rata » lui aussi l'examen radiographique qu'on lui fit passer par précaution et dut subir le même traitement que nous. Liline, cependant, eut des tests négatifs.

Une fois que les cachets étaient dans notre bouche, mon oncle nous présentait une grande cuiller d'huile de foie de morue que nous devions avaler avant que Tante Denise ne nous donne l'eau.

Craignant peut-être que nous ayons des haut-le-cœur, Tante Denise criait toujours : « Fé vit, fé vit », en nous demandant d'avaler les cachets sans hésiter, avant de reprendre les tasses.

Pendant notre traitement, Bob eut une rougeur sur le dos d'une dizaine de centimètres de diamètre qui tour à tour saignait et formait une croûte. Dans un premier temps, le médecin, qu'au fil de nos visites de contrôle mensuelles je me mis à appeler docteur Tuberculose, nous dit que la rougeur de Bob était sans rapport avec sa médication, mais quand une lésion plus importante encore apparut sur ma fesse gauche, il fut contraint d'admettre qu'il y avait un lien. Nick, par ailleurs, perdit complètement l'appétit, maigrit de quatre kilos et se plaignait en permanence d'avoir les pieds froids.

Fort heureusement les éruptions, les refroidissements et les pertes d'appétit disparurent à la fin du traitement, six mois plus tard. Après une autre série d'examens radiographiques, le docteur Tuberculose nous donna, à Bob et moi, l'autorisation médicale de partir aux Etats-Unis.

Mais un nouveau problème surgit. Pendant les six mois de notre traitement, mon père fut licencié de la verrerie où il travaillait et comme mes deux parents, Kelly et Karl ne vivaient que sur le modeste salaire de ma mère, ouvrière dans une usine textile, notre demande fut mise en attente jusqu'au moment où mon père pourrait prouver que lui et ma mère avaient des revenus leur permettant de subvenir aux besoins de toute la famille. Exactement au moment où mon oncle en avait le plus besoin, mon père s'arrêta d'écrire des lettres. Dans sa dernière missive, il nous proposait d'essayer les nouveaux centres d'appel téléphoniques, bien moins chers, de Teleco, la compagnie nationale de téléphone.

Alors que nous attendions que Papa trouve un nouveau travail, chaque dimanche après-midi, mon oncle, Bob et moi allions dans un centre d'appel près de l'atelier de tissus où mon oncle travaillait et nous nous entassions tous les trois dans la petite cabine téléphonique aux parois minces comme du carton et tentions de parler à mes parents. Les conversations étaient toujours les mêmes. Mon oncle gribouillait quelques mots sur un petit bloc-notes qu'il gardait dans la poche de sa chemise : des lettres instantanées qui, en quelques phrases, mettaient nos parents au courant de notre état de santé, de notre travail en classe, de nos résultats, des dernières nouvelles sur nos demandes d'immigration. Je répétais soigneusement les phrases griffonnées par mon oncle tout en observant ses lèvres pour parer à d'éventuelles modifications. Il faisait chaud, nous étions serrés tous les trois et de temps à autre mon oncle devait changer de place avec nous sur le banc étroit quand nous nous repassions le téléphone. Mes parents m'interrompaient parfois pour ajouter un commentaire ou poser une question et je devais m'arrêter et attendre que mon oncle réponde avant de reprendre la parole. Le temps restant était pris par mes parents qui nous parlaient directement.

« Maintenant dis-moi comment tu vas, me demandait ma mère.

— Byen », répondais-je.

Sur un autre poste, mon père demandait : « Tu es bien sage, n'est-ce pas ?

— Wi, Papa », répondais-je, avec le sentiment que je leur avais déjà assez parlé à travers les mots de mon oncle.

« J'ai trouvé un travail, annonça mon père un dimanche après-midi.

— Bravo ! écrivit mon oncle.

— Bravo », répétais-je.

Je pouvais presque imaginer l'expression sur le visage de mon père, un large sourire qui montrait combien il était fier de lui.

Quelques semaines plus tard, une lettre arriva à la maison de Bel Air annonçant que nous avions un rendez-vous au consulat américain dans quelques jours.

Au centre de la vie de beaucoup de familles, point de mire de tant de pensées et de prières, le consul, en chair et en os, n'était qu'un homme blanc, au teint très hâlé, presque basané, avec des yeux qui paraissaient vert bouteille. Etait-ce le consul en personne ou juste un des nombreux employés qui empruntaient cette identité ? Je ne le savais pas à l'époque et je l'ignore encore aujourd'hui. Toujours est-il que l'homme qui se présenta devant nous ce jour-là portait une fine chemise blanche sans maillot de corps. Ses ongles étaient d'un rouge brunâtre avec, en dessous, ce qui ressemblait à de la terre cuite.

J'étais assise avec mon frère et mon oncle, séparés de l'homme aux yeux verts par un bureau de bois ciré. Il feuilletait nos papiers, un gros dossier qui avait grossi au cours des cinq dernières années, avec les tests sanguins pour prouver la paternité de mon père, le diagnostic de la tuberculose et les traitements, même les radios de nos poumons, avant et après le traitement, et, comme je l'appris plus tard, les enquêtes de personnalité menées auprès des amis de mes parents, des employeurs, du pasteur, les talons des fiches de paye de mes parents, les relevés des comptes bancaires, les feuilles de déclaration d'impôts, un résumé de ce qu'ils devaient être pour être autorisés à vivre dans le même pays que tous leurs enfants.

« Ta maman, ton papa te manquent ? » L'homme se

pencha sur le bureau pour poser la question en français, à moi puis à mon frère.

Sur le mur derrière lui était suspendu un grand drapeau américain dont les étoiles surgissaient du carré de l'angle, avec leurs pointes qui se fondaient dans le mur. Ayant intuitivement le sentiment que c'était ce qu'il convenait de faire, nous acquiesçâmes tous les deux d'un mouvement de tête, comme si nous nous inclinions devant le drapeau contre lequel notre grand-père s'était battu, sous lequel notre mère et notre père vivaient depuis presque dix ans et que nous allions bientôt adopter. En même temps que je hochais la tête de haut en bas, je sentais que ma vieille vie me quittait soudain. Je me livrais, non pas seulement à un pays et à un drapeau, mais à une famille dont je n'avais jamais fait réellement partie.

« Je vais vous rendre très heureux. » L'homme prit un tampon et le tint suspendu en l'air devant nous avant de l'abattre sur la première feuille de chacun de nos dossiers.

« Vous êtes tous les deux acceptés, dit-il dans ce qui devait être un refrain officiel. Vous êtes maintenant libres d'être avec vos parents. Pour le meilleur et pour le pire. »

Pour le meilleur et pour le pire... Pourquoi ? Je me suis demandé s'il savait quelque chose que nous ignorions. En outre, qu'est-ce qui pouvait être pire que d'attendre la plus grande partie de notre vie pour passer cinq minutes avec une personne qui dirait une chose pareille ?

Ce soir-là, nous retournâmes au centre d'appel téléphonique pour annoncer la nouvelle à mes parents.

Mon oncle griffonnait avec acharnement, en donnant le détail des tâches qui nous attendaient avant que nous puissions partir.

« Il faut acheter les billets d'avion, dis-je en déchiffrant l'écriture de mon oncle.

— Dis à ton oncle de les acheter. Je lui enverrai l'argent. » Mon père parlait plus fort qu'il n'était nécessaire, d'une voix énergique, avec animation.

« Es-tu heureuse ? » me demanda mon père vers la fin de la conversation.

Je fis semblant de ne pas avoir entendu.

« Voilà Bob », dis-je.

Mon frère, lui aussi, s'anima au téléphone avec mes parents. Tous les trois bavardaient déjà comme de vieux amis, en imaginant tout ce qu'ils allaient faire.

« Edwidge a promis un tas de cadeaux, quelque chose pour tout le monde », leur confia-t-il.

Je tendis le bras et lui pinçai le dos de la main qui tenait le téléphone. Mon oncle me donna une tape sur la main, tout en me lançant un regard désapprobateur. Même si nous nous attendions à ce dénouement, comment pourrais-je lui dire que je ne voulais pas le quitter ? Quelle différence cela ferait-il ? Pour le meilleur ou pour le pire, il fallait que je parte.

C'étaient mes parents, mes vrais parents, et ils voulaient que je vienne vivre avec eux.

Plus tard dans la semaine, Tante Denise m'emmena dans un magasin de luxe de Grand Rue pour m'acheter une nouvelle robe. J'en choisis une que je jugeai plutôt chic. Elle était jaune vif, avec une veste de satin et une jupe à volants. Le costume bleu clair de Bob fut fabriqué par le tailleur de mon oncle, dont il était devenu le client depuis qu'il avait cessé de donner du travail à Monsieur Pradel.

Le jour de notre départ, on nous nourrit en abondance avant de nous emmener à l'aéroport. Tante Denise prépara une grande casserole de farine de maïs, de hareng avec du jus de betterave mélangé à du lait concentré pour arroser le tout.

Lorsque Nick, sanglotant sur sa farine de maïs, demanda : « Pourquoi est-ce qu'il faut que j'aille à l'école après le déjeuner ? Pourquoi est-ce que je ne peux pas aller avec eux ? », Tante Denise passa ses bras sur mon cou et celui de Bob, nous embrassa sur la joue derrière nos chaises et courut dans sa chambre. Le père de Liline, Linoir, le frère de Tante Denise, qui avait passé trois ans comme ouvrier dans les plantations de canne à sucre en République dominicaine, était récemment revenu au pays pour mourir. Cette douleur à laquelle venait s'ajouter notre départ était plus qu'elle ne pouvait supporter.

Liline, au contraire, prenait beaucoup mieux les choses. Elle connaissait à peine son père et était terrifiée à la vue de ses yeux creusés, de sa peau desséchée et de ses convulsions, symptômes de son choléra. Tout comme Tante Denise avait fermé la porte de sa chambre, Liline avait verrouillé la porte de son cœur. Elle alla voir son père une seule fois et jura qu'elle n'irait plus jamais le revoir. Et quand Bob et moi avons quitté la maison, même si j'avais laissé l'exemplaire de *Madeleine* que je chérissais tant sous son oreiller et que je savais qu'elle l'avait vu le matin en faisant son lit, elle nous dit simplement « Na wé », au revoir, sans lever les yeux de son assiette.

À l'aéroport, Bob et moi essayâmes de suivre mon oncle qui marchait à grands pas vers l'une des longues queues sinueuses devant les comptoirs d'enregistrement. Mon oncle tenait d'une main notre unique petite valise et de l'autre une enveloppe couleur moutarde contenant tous nos papiers.

En attendant dans la queue, mon oncle se mit à suer et n'arrêtait pas de s'essuyer le visage jusqu'à ce que le mouchoir bleu brodé de ses initiales fût trempé. Etait-il triste ? en colère ? nerveux ? Pour lui-même ? pour nous ?

Plus tard, à l'occasion de mes voyages, j'ai parlé à trois hôtesses de l'air, plus toutes jeunes, qui m'ont affirmé être celles qui étaient venues au comptoir s'occuper de mon frère et de moi. Elles nous avaient pris par la main et nous avaient emmenés, laissant mon oncle pour nous guider jusqu'aux sièges de l'avion.

« Vous n'avez pas du tout pleuré, m'a dit l'une d'elles. Vous avez simplement embrassé votre oncle sur la joue et vous êtes partis. »

« Vous n'avez pas fait de comédie, m'a dit une autre, mais le devant de votre robe était mouillé de larmes. »

« Vous avez tous les deux refusé de bouger. Votre oncle a dû vous ordonner de me suivre et il s'est vraiment mis en colère et a crié », m'a dit la dernière, ignorant qu'à l'époque mon oncle ne pouvait pas crier.

Leurs souvenirs erronés ont effacé toutes les certitudes que j'aurais pu avoir sur ce jour, si jamais j'en avais eues. A différents moments, mon frère et moi avons probablement été tous ces enfants – ceux qui n'ont pas pleuré, ceux qui ont sangloté tranquillement et ceux qui ont refusé de partir.

Au fil des ans, j'ai également rencontré d'autres passagers qui croyaient nous avoir vus, mon frère et moi, lui dans son costume bleu pâle, moi dans ma robe couleur citron, nous tenant par la main et repoussant notre tête en arrière dans nos sièges au moment du décollage.

Je me souviens seulement avoir souhaité au moment où nous entrions dans les nuages que mon oncle eût versé un torrent de larmes, se fût jeté sur le sol en faisant une scène et en nous interdisant de partir. Il aurait balbutié quelques mots, avec sa voix d'autrefois, me révélant soudain que j'étais en réalité sa fille et qu'il ne pouvait pas vivre sans moi.

Assise sur le siège du milieu près de mon frère qui avait insisté pour avoir la place près du hublot que je convoitais, j'avais regardé dehors les nuages blancs une seule fois lorsque, tout à coup, il me vint à l'esprit que, comme mon oncle ne pouvait pas parler au téléphone et qu'il ne nous écrirait sans doute pas de lettres à nous, les enfants, nous n'aurions probablement plus de contacts avec lui.

Cette constatation fut suffisamment pénible pour me donner envie de fermer les yeux à tout jamais. J'encourageai mon frère à faire de même. Ce faisant, nous nous sommes endormis, en nous réveillant seulement quand une des hôtesses nous tapota l'épaule pour nous avertir de l'arrivée du dîner.

Il faisait alors trop sombre dehors pour voir de nouveau les nuages. Bob s'émerveillait du fait que rien n'indiquait que nous nous déplacions dans les airs. Bien que nous ayons mangé ce qui fut sans doute le déjeuner le plus copieux de notre vie, nous avons terminé tout notre plateau-repas, en nous délectant de la découverte des minuscules assiettes en plastique dans lesquelles étaient présentés le riz, les haricots à la haïtienne et les blancs de poulet grillés à l'américaine. Après avoir étalé un de ses carrés de beurre sur son petit pain, Bob plaça l'autre dans sa poche, où il fondit avant l'atterrissage.

Nous entendîmes nos parents avant de les voir. Marchant de chaque côté de l'hôtesse de l'air qui nous avait séparés de notre oncle à l'aéroport de Port-au-Prince, mon frère et moi reconnûmes nos noms au-dessus du vacarme des gens qui se frayaient un chemin dans la foule, agitaient des fleurs et des peluches dans la salle des arrivées. Les voix de nos parents, celle de mon père, ferme et résolue, celle de ma mère, claironnante et tonitruante, nous parvenaient derrière nous.

L'hôtesse relâcha un peu son étreinte sur nos mains mais ne nous laissa pas partir alors que nous faisions demi-tour pour trouver mon père et ma mère.

« Est-ce que ce sont vos parents ? » demanda-t-elle quand ceux-ci approchèrent, ma mère écartant sans ménagement la foule et mon père qui suivait plus tranquillement dans son sillage s'excusant auprès des personnes victimes des bousculades.

Lorsqu'elle nous atteignit, ma mère nous saisit tous les deux et nous pressa contre sa poitrine. Je respirai profondément, m'enivrant de ces senteurs mélangées de pommade capillaire à la noix de coco et de poudre de bébé, qui formait des lignes blanches irrégulières tout autour de son cou.

Mon père prit en charge la logistique, signa un formulaire que l'hôtesse avait gardé plié dans sa poche.

« Bonne chance. Good luck », nous dit-elle avant de s'éloigner.

Mon père se pencha vers nous pour que nous puissions l'embrasser. Sa barbe, plus épaisse et aux poils plus raides alors, me piqua les lèvres et le nez. Mais je suivis l'exemple de mon frère et passai mes bras autour de son cou en l'embrassant.

« Où sont Kelly et Karl ? » demanda mon frère, qui faisait déjà preuve de cette solidarité masculine que j'allais être amenée à soupçonner chez tous mes frères.

Un ami de leur immeuble gardait les enfants, dit ma mère. Nous les verrions quand nous arriverions à la maison.

Dans le parking de l'aéroport, je frissonnai. Même si nous étions au printemps – la manifestation des saisons est un concept auquel il m'a fallu m'accoutumer depuis –, l'air était glacial. Plus tard, j'apprendrais que mon père avait perdu son travail ce jour-là. Il avait demandé à son patron de l'usine de sacs à main du New Jersey où il travaillait s'il pouvait partir un peu plus tôt pour aller nous chercher et le patron avait refusé. Mon père était parti quand même et, au moment où il sortait, on lui signifia qu'il était mis à la porte. Au cours du trajet vers l'aéroport, il décida qu'il ne travaillerait jamais plus pour quelqu'un d'autre.

En chargeant notre valise à l'arrière d'un vieux break déglingué, mon père demanda : « Comment va Oncle Joseph ?

— Il avait l'air triste, répondit Bob pour moi. Je crois qu'il était peiné de nous voir partir.

— Je pense que c'est comme ça quelquefois, dit mon père d'une voix basse. Un papa heureux, un papa triste. »

Gitan

Notre nouvelle demeure était un trois-pièces au dernier étage d'un immeuble de brique qui en comptait six dans une impasse donnant sur Flatbush Avenue appelée Westbury Court. Sous l'immeuble se trouvait la station de métro où passaient à grand fracas les lignes D, M et Q, à toute heure du jour et de la nuit.

A première vue, la salle de séjour de mes parents paraissait somptueuse avec sa moquette beige, ses canapés et fauteuils de tissu épais, recouverts de plastique pour les protéger, et le cadre de glace taillée entourant une gigantesque gravure sur velours représentant la Cène. Je pris le palier de l'escalier de secours qui allait de la fenêtre de la chambre de mes parents à celle de la salle de séjour pour une terrasse et me mis aussitôt à nous imaginer tous passant les soirées d'été dehors à regarder le quartier d'en haut tout en sirotant des boissons gazeuses américaines et en nous racontant des histoires.

« Ne sortez jamais par là, et je dis bien jamais ! » fut

la première chose que mon père dit à Bob et à moi après nous avoir montré la salle de séjour. Kelly et Karl le savent déjà. S'il y a un feu, c'est par là que les pompiers arrivent pour vous sauver la vie. »

Il parlait comme s'il nous sauvait déjà la vie en nous donnant cet ordre des plus utiles. Je pressai mes doigts contre les barres torsadées des fenêtres, en voyant s'évanouir mes rêves de passer des soirées à flotter au-dessus de Brooklyn.

Mes frères, que ma mère était partie chercher chez une amie dans le couloir, arrivèrent en sautillant, impatients de nous voir. Ils avaient, bien évidemment, grandi : Kelly, un gamin de sept ans à l'allure dégingandée, et Karl, un garçon de cinq ans beaucoup plus rondelet.

Karl courut tout de suite vers moi, et faillit me renverser en mettant ses bras autour de mes hanches et en me serrant contre lui aussi fort que possible. Levant les yeux, avec un large sourire contraint, il me demanda : « Est-ce que tu es vraiment ma sœur ? »

Je n'avais pas l'habitude des embrassades. Cette pratique ne faisait pas réellement partie de mes modes d'expression dans mes relations quotidiennes, même avec les gens que j'aimais le plus, mais je laissai tomber mes mains sur ses épaules et lui caressai le dos. En le regardant, je me demandai si ma mère lui avait parlé de notre première rencontre, lui bébé dans mes bras. Ou savait-il d'instinct que nous étions supposés nous aimer ?

Mes parents regardaient la scène avec de grands

sourires sur leurs visages satisfaits. Ils étaient sans doute émus, amusés, contents de voir que Karl avait ce qu'on pouvait appeler un sens profond de la prévenance. Au fil des ans, je m'y suis habituée. J'ai même compté dessus. Il était souvent le premier à offrir une chaise à quelqu'un qui était debout, à engager la conversation avec un autre qui paraissait timide. Il était celui à appeler immédiatement quand se produisait un événement malheureux. Mais à cette époque sa tentative d'embrassade m'apparut comme quelque chose de bien plus fort. Ce fut, et c'est encore aujourd'hui, le meilleur accueil que j'ai reçu de toute ma vie. Cela ressemblait à de l'amour.

« Bien sûr que c'est ta sœur », répondit ma mère devant mon silence. Sa main s'appuyait contre le dos de Kelly qu'elle poussait en avant, vers nous, mais il ne bougeait pas et regardait Bob. Le bras de mon père était posé sur l'épaule de Bob et lui aussi tentait de le faire avancer vers Kelly.

« Pourquoi est-ce que tu ne montres pas un de tes jouets à ton frère ? » proposa mon père à Kelly dont le visage s'illumina. Il fit signe de la main à Bob de le suivre. Bob leva les yeux vers mon père pour avoir une confirmation, puis suivit lentement Kelly et disparut dans l'étroit couloir qui menait aux chambres.

Ils n'étaient pas partis depuis une minute que ma mère les rappela.

« Vini, venez manger. » Elle nous fit signe à tous d'aller dans la cuisine, où le dessus de la cuisinière était recouvert de casseroles et de poêles. Dans l'angle face au réfrigérateur se trouvaient une table et quatre chaises. Comme ma mère, mon père et les garçons avaient déjà mangé, elle remplit deux assiettes et les posa devant Bob et moi. Karl glissait sur mes genoux, mais tenait toujours bon, pendant que je mangeais mon ragoût de poulet avec du riz et des haricots, des plantains frits et des boulettes de viande.

« J'ai aidé à préparer le repas, dit mon père avec fierté. C'est votre repas de bienvenue. »

Kelly nous observait, le menton posé sur la table. Bob mangea rapidement et demanda un supplément. Je voulus lui donner un coup de pied sous la table. « Ils vont penser que tu n'as rien mangé depuis qu'ils t'ont quitté, lui dis-je d'une voix sifflante.

— Laisse-le manger », intervint mon père en riant. Appuyé contre le mur, il regarda ma mère remplir l'assiette de Bob. Ce n'était pas tant que Bob avait faim, je le savais. Il voulait leur faire plaisir. Il voulait sincèrement qu'ils soient heureux et le nourrir les rendait heureux.

Je me remplis la bouche, mais sans avaler tout de suite. Je ne voulais pas qu'ils me posent des questions. Je ne voulais répondre à rien.

Une fois le repas terminé, Bob parcourut l'appartement avec Kelly qui lui montra où tout se trouvait. Puis Karl s'échappa et partit les rejoindre. Mon père le suivit. Ma mère me montra où nous allions dormir, dans la deuxième chambre, celle qui donnait sur les voies du métro. Un mur de l'appartement sur deux était occupé par un lit, à l'exception de la façade vitrée. J'avais hérité du grand lit de la sœur de ma mère, Tante Grace, qui avait habité chez mes parents avant notre arrivée. Kelly et Karl partageaient des lits superposés métalliques, Kelly dormant en haut et Karl en bas. Le lit de Bob n'était qu'un lit de camp pour adulte, mais avait l'avantage d'être le plus proche du poste de télévision de trente centimètres posé sur une coiffeuse en bois.

« Veux-tu aller te coucher ? » me demanda ma mère.

J'acquiesçai d'un signe de tête : « Wi. »

Elle avait déjà placé sur le lit une chemise de nuit de flanelle pour moi. Lorsque j'entrai dans la salle de bains pour me brosser les dents, mes frères étaient là.

« Je suis bien content que tous les deux vous parliez créole », leur disait Bob. Ils formaient déjà un trio, une équipe.

Mon lit sentait la citronnelle et le vétiver, des senteurs pour s'habiller et sortir, plutôt que pour s'endormir. (Le parfum, comme je l'appris plus tard, était celui d'une marque d'adoucissant.) Ce soir Liline dormait sans doute sur mon matelas, pensais-je, ce qui la changeait des relents du sien. Comment ce lit aux odeurs de vétiver et de citronnelle, me demandais-je, pourrait-il être vraiment le mien ?

Mes parents éteignirent la lumière et nous laissèrent tous les quatre dans le noir. Quelques minutes plus tard, j'entendis leurs rires étouffés venant de la chambre voisine, et de temps à autre je reconnaissais nos noms. Ils se racontaient déjà des histoires sur nous.

« Tu vois ce que Bob peut manger ? dit ma mère.

— Est-ce que tu as remarqué que Karl ne voulait pas laisser Edwidge partir ? demanda mon père.

— Je ne suis pas sûre que Kelly comprenne très bien ce qui se passe. »

Le tintamarre du métro, quelque part en dessous de nous, couvrit leurs voix, puis il n'y eut que le silence.

Dans l'obscurité, Kelly, dont le créole était un peu hésitant mais clair, chuchota : « Est-ce que tous les deux vous êtes adoptés ?

— Non, répondit Bob.

— Ils disent que vous êtes tous les deux plus vieux que moi, poursuivit-il. Mais ce n'est pas vrai. L'aîné, c'est moi. »

Les mots de Kelly me rappelèrent une histoire que racontait Granmé Melina et qui me laissait perplexe. Il y était question d'un jeune bouc malicieux qui, un jour, sur un étroit chemin, rencontrait un vieux cheval décrépit et sans poil.

Bloquant le passage de la vieille rosse, ce jeunot de bouc lui dit : « Tu devrais me laisser passer, parce que je suis plus vieux que toi.

— Tu devrais me laisser passer le premier, rétorqua le vieux cheval, parce que c'est moi le plus âgé.

— Tu ne vois pas que j'ai une barbe et pas toi ? rétorqua le bouc avec vigueur, en riant. La barbe est bien le signe du grand âge, non ? »

Le temps que Kelly avait vécu auprès de nos parents était sa barbe. En vérité, il avait passé beaucoup plus de temps avec eux que Bob et moi ensemble. Comment lui et Karl avaient-ils été préparés à notre venue ? Je me le demandais. Mes parents leur avaient-ils jamais parlé de nous ? Les avait-on prévenus de notre arrivée avant aujourd'hui ?

Plus tard ils nous dirent que c'était comme si nous étions tombés du ciel. Ils n'avaient gardé aucun souvenir de leur voyage en Haïti et mes parents ne leur avaient rien dit. (Peut-être, comme dans les lettres, par peur de heurter les sentiments de tous.)

« Je vais te dire un secret, murmura Bob dans le noir à l'adresse de Kelly. En vérité, nous sommes des espions venus de l'espace. On a des trucs d'espion insérés dans la tête. »

J'étais sans cesse étonnée par l'étendue des connaissances de Bob. Où avait-il appris de telles choses ? De bandes dessinées que seuls lui et Nick avaient lues ? Des histoires que seuls les deux garçons s'étaient racontées entre eux ?

Le lendemain matin, avant que nos parents ne se soient levés, Karl descendit de son lit et vint se fourrer dans le mien. Son pyjama décoré de voitures de pompiers sentait aussi la citronnelle et le vétiver. Je commençais à penser que c'était l'odeur de toute l'Amérique.

Karl était agenouillé et dut s'appuyer des mains contre le mur pour garder son équilibre quand il se pencha vers moi pour m'embrasser sur le front.

« Ça doit faire mal d'avoir ce truc d'espion dans la tête, dit-il en se relevant.

— Oui, ça fait mal », dis-je au bord des larmes.

Peu après s'être levé, Kelly grimpa sur le plan de travail de la cuisine et trouva un couteau à beurre qu'il emporta dans la chambre.

« Je peux vous débarrasser de votre truc d'espion, dit-il avec un petit sourire suffisant comme pour prouver que, s'il n'était pas le plus âgé, il était le plus malin.

— Non tu ne peux pas, dit Bob en fermant les yeux pour se masser lentement les côtés de son visage. Personne ne peut. Ce que je peux faire pour qu'on soit vraiment des frères et des sœurs, c'est demander à mes copains de l'espace d'en mettre un dans votre tête à vous aussi pendant que vous dormirez ce soir. Alors on pourra discuter plus facilement entre nous sans même parler. Tu es d'accord ? »

Kelly baissa la main avec laquelle il tenait le couteau à beurre et fit la moue. Karl leva les yeux vers ma tête comme s'il cherchait quelque indication, quelque signe qui m'aurait défigurée et qu'il aurait eu aussi à porter pour le reste de son existence.

« Bon, OK, dit Kelly.

— OK », répéta Karl en écho.

Depuis ce jour, nous nous sommes considérés comme de vrais frères et sœur.

Je m'émerveille encore de la manière dont Bob, qui n'avait alors que dix ans, a pu penser à tout ce scénario, mais aussi étrange que cela puisse paraître, c'est cela qui nous a réellement soudés, qui a amorcé le processus qui allait faire de nous une famille.

Ce matin-là, pendant que nos nouveaux frères de sang et d'espionnage nous faisaient découvrir les dessins animés du samedi matin, mon père, toujours en pyjama, portait une espèce de grand sac à main noir avec une petite serrure d'argent, qu'il posa soigneusement sur mon lit. Et bien qu'il eût la mine chiffonnée et les yeux encore pleins de sommeil, il parut impatient de me voir l'ouvrir.

Saisissant la fermeture, je l'ouvris en force, manquant de la briser. Mes frères détournèrent leurs yeux de la télévision pour regarder mes doigts courir sur mon cadeau de bienvenue.

C'était une machine à écrire, une Smith Corona Corsair portable. Une fois encore, les larmes me montèrent aux yeux avant même d'avoir pensé à ce que je pourrais dire. Je me suis souvenue que j'avais demandé à mon père dans une de mes lettres de m'envoyer une machine à écrire. Les caissiers de la banque de mon oncle en avaient. Les employés du ministère de l'Education en avaient. J'en avais demandé une à mon père parce que je pensais que mon oncle devrait lui aussi en avoir une. Non seulement pour son travail à l'école et à l'église, mais pour répondre à mon père.

En regardant les parfaites touches beiges alignées comme de grosses dents d'ivoire, je ne pus m'empêcher d'avoir le sentiment que j'avais reçu cette machine à écrire trop tard. Que pourrais-je bien faire avec une machine à écrire pour moi toute seule ?

Puis, en un éclair de seconde, il me vint à l'esprit que je pourrais écrire à mon oncle des centaines et des centaines de lettres pour l'impressionner avec mes nouvelles aptitudes, mes nouvelles connaissances, ma nouvelle vie.

« Ça va t'aider à mesurer tes mots, me dit mon père en tapant sur les touches avec ses doigts pour marquer son propos. Pour bien les aligner comme il faut. »

Il utilisait ce verbe au sens littéral. Lui et moi avions une écriture assez irrégulière. Contrairement à lui, néanmoins, j'utilisais souvent une règle pour former des lignes bien droites. Malgré tout, ces cadeaux m'apparaissent aujourd'hui comme doués de prescience, cette machine à écrire et son désir, très tôt dans ma vie, de me voir assembler mes mots correctement.

Finalement, après m'être quelque peu habituée à cette machine, je ne parvins à taper qu'une seule lettre à Oncle Joseph. C'était un mot bref qui lui disait que Bob et moi allions bien, que nous nous entendions bien avec nos parents et nos frères et que nous pensions à lui et à Tante Denise, à Nick et Liline, à Tante Zi et Tante Tina, à Marie Micheline et Ruth, et à tout le monde. Ma lettre n'était en vérité qu'une liste de noms, un recensement des personnes dont les visages surgissaient dans ma tête chaque jour et dont les voix résonnaient en écho dans mes oreilles chaque nuit.

Mon oncle ne m'a pas répondu, peut-être pour nous permettre de prendre quelque distance, du temps pour nous intégrer dans notre famille sans aucune ingérence de sa part. Il avait écrit à mon père, cependant, en lui envoyant un mot chaque fois qu'un ami allait de Haïti à New York. Après avoir lu ses lettres, mon père nous disait toujours que mon oncle l'avait chargé de saluer « Edwidge, Bob, Kelly et Karl ». Bob et moi occupions-nous toujours une place particulière pour lui ? Je me le demandais. Valions-nous encore la peine d'être considérés à part ?

Il y a un dicton haïtien qui dit : « Pitit moun se lave yon bò, kite yon bò. » Quand vous lavez les enfants des autres, ne lavez qu'un côté et laissez l'autre sale. Je suppose que ce dicton s'adresse à ceux qui s'occupent des enfants d'autres personnes, leur conseillant de ne pas leur donner toute leur affection car en retour ils ne recevront jamais une affection totale. Je me demande si, après notre départ pour New York, mon oncle n'avait pas ce sentiment.

Il y a quelques années, j'ai retrouvé, puis égaré de nouveau, quelques lignes que j'avais tapées en rouge deux étés après notre arrivée à New York.

Le taxi de mon père tire son nom des vagabonds, des voyageurs, des nomades. C'est un taxi gitan.

Contrairement aux taxis jaunes, aux yellow cabs, un « gypsy cab » n'a ni plaque ni affiliation. Il appartient entièrement au chauffeur, qui parcourt toute la journée les rues à la recherche de clients.

Chaque samedi matin après notre arrivée, mon père quittait la maison très tôt, à quatre ou cinq heures, pour partir en maraude.

« Sois prudent », lui recommandait ma mère d'une voix ensommeillée.

Réveillés par le bruit de leurs pas, mes frères et moi avions nous aussi envie de lui crier : « Sois prudent », mais nous nous en dispensions, parce que cela aurait inquiété mon père de penser que nous nous faisions du mauvais sang pour lui.

Lorsque mon père quittait l'appartement, ma mère retournait sans tarder dans sa chambre pour ouvrir la fenêtre donnant sur l'escalier de secours et le regarder démarrer. Mes frères et moi aurions aimé l'imiter, mais notre fenêtre ne donnait pas sur la rue et cela aurait tracassé ma mère de savoir que nous aussi étions inquiets pour notre père.

Un samedi, comme il travaillait très tôt le matin, mon père passa devant des adolescents dans une camionnette volée qui tirèrent trois balles sur sa voiture. Il avait un passager qui sommeillait à l'arrière et par miracle ni lui ni son passager ne furent touchés.

Il ne nous parlait jamais directement de ce genre de choses. Mais il racontait ce que mes frères et moi appelions ses aventures des rues le lundi soir, lors des réunions hebdomadaires de prière que des familles accueillaient chacune à leur tour chez elles.

« Même ma famille n'a pas entendu ça, commençait-il. Je ne voulais pas les inquiéter. »

Un autre samedi matin, trois hommes le braquèrent

en tenant un revolver sur sa tête et le forcèrent à les conduire à l'arsenal maritime de Brooklyn où ils lui demandèrent de leur donner tout l'argent qu'il avait dans la voiture. Quand ils s'aperçurent qu'il n'avait que quelques dollars, ils le frappèrent à la tête avec une pince-monseigneur et s'enfuirent. Il en fut quitte pour des ecchymoses au visage, qui enflèrent, virèrent au noir et au bleu, mais, malgré tout, il s'en tira à bon compte, ce qui est exactement ce qu'il raconta au groupe de prière le lundi suivant. « Je ne suis resté aux urgences que quelques heures. En fait, j'ai surtout attendu qu'un médecin vienne s'occuper de moi. Etant donné les circonstances, je ne m'en suis pas trop mal sorti. »

De temps à autre, durant mon adolescence, je me suis retrouvée dans la voiture, sur le siège avant, pendant que mon père travaillait. Souvent il me conduisait quelque part, mais cela ne l'empêchait pas de prendre des clients.

Un après-midi, un vieil homme traita mon père d'idiot parce qu'il avait pris une rue pour une autre. Un autre jour, il prit à bord une femme qui, quand il lui demanda de répéter son adresse, lui cria à tue-tête : « On ne trouve plus un seul chauffeur de taxi qui parle anglais ! »

Mon père répondait rarement. « A quoi bon ? disait-il. J'ai plus besoin de leur argent qu'eux de mes services. »

Parfois, un passager – ou une passagère –, une fois à destination, ouvrait la porte et entrait en courant dans un immeuble sans payer. D'autres disaient qu'ils allaient chercher de l'argent et ne revenaient pas. Mon père ne leur courait jamais après. Ses rencontres avec la pince-monseigneur et le revolver lui avaient appris qu'il pouvait lui arriver des choses bien pires que de se faire escroquer.

Cependant, un autre samedi matin, alors que j'avais quatorze ans et que mon père me conduisait à l'école pour y suivre des cours de rattrapage, je me suis mise à me poser des questions sur le métier que je voulais faire. Serais-je médecin, juriste ou ingénieur, ce que la plupart des Haïtiens adultes, y compris mes parents, espéraient pour leurs enfants? Ou ferais-je autre chose?

« Est-ce que tu n'as jamais souhaité faire autre chose que de conduire un taxi? ai-je demandé à mon père.

— Bien sûr », a-t-il répondu.

J'ai cru voir ses mains trembler, ses lèvres frémir. Il s'est mordu la lèvre inférieure, avec force, pour arrêter le tremblement. Sans doute pensait-il que je le jugeais, que je lui disais que son métier n'était pas assez honorable, prestigieux, intelligent. Cependant, partie comme je l'étais, il m'était impossible de reculer.

« Que ferais-tu si tu ne conduisais pas un taxi? » lui ai-je demandé, en le regardant serrer plus fort encore le volant.

Il a fixé la rue encombrée devant lui comme si c'était un écran sur lequel il pouvait projeter sa vie. Ses parents avaient-ils souhaité qu'il devienne médecin, juriste ou ingénieur? Agriculteur? Soldat? Avait-il caressé d'autres rêves pour lui-même?

« Si je pouvais faire quelque chose d'autre, m'a dit finalement mon père, je serais soit épicier, soit entrepreneur de pompes funèbres. Parce que nous devons tous manger et nous devons tous mourir. »

DEUXIÈME PARTIE

EN VUE DE L'ADVERSITÉ

Un ami aime en tout temps,
un frère est engendré en vue de l'adversité.

Proverbes, 17-17

Mon frère, je peux parler

Au cours de l'été 1983, alors que j'avais quatorze ans et Bob douze, Oncle Joseph vint à New York pour un bilan de santé. Sachant que nous étions impatients de le revoir, mon père nous emmena, Bob et moi, à l'aéroport. Ma mère avait tenu à ce que nous portions nos habits neufs amidonnés de frais, une robe d'été d'un orange vif pour moi, un pantalon de cérémonie et un tee-shirt d'un blanc immaculé pour Bob. Mes parents paraissaient vouloir que notre oncle ait de nous la meilleure image possible, peut-être même lui montrer qu'ils s'étaient bien occupés de nous, qu'ils avaient lavé la part proverbiale de nous que Tante Denise et lui avaient pu laisser sale. En attendant dans le hall des arrivées, je me dandinais nerveusement d'un pied sur l'autre, en me demandant si mon oncle voulait nous voir autant que nous voulions le voir.

Quand il sortit des bureaux de contrôle de la douane et de l'immigration, Oncle Joseph me sembla légèrement différent du souvenir que j'avais gardé de lui. Il avait pris un peu de poids et son ventre rebondi le faisait paraître plus petit. Bob et moi avons couru vers lui et l'avons entouré de nos bras. J'étais maintenant presque aussi grande que lui et c'était une sensation bizarre que d'atteindre son épaule, de le regarder si facilement dans les yeux. Il nous tapota le visage et sourit, puis indiquant notre père qui se tenait à quelques mètres de lui, alla lui dire bonjour.

Mon père l'étreignit par les épaules et l'embrassa, puis il recula de quelques pas pour lui serrer la main de manière plus formelle. Quand Papa saisit la valise d'Oncle Joseph, elle lui parut bien lourde et il en fit la remarque.

« Je vais laisser Bob s'en occuper, dit mon père. C'est presque un homme à présent. »

Mon oncle acquiesça d'un hochement de tête et joignit les mains, confirmant que c'était une bonne idée. La valise avait une longue courroie et notre père la tendit à Bob, qui, gauche mais costaud, la tira vers lui sans peine. Tandis que Bob s'occupait du bagage, je me retrouvai à marcher entre Oncle Joseph et mon père qui avaient passé leur bras autour de moi comme si c'était la chose la plus naturelle du monde.

« Comment va Denise ? » demanda mon père.

Mon oncle énonça silencieusement : « On ti jan malad. »

Je fus surprise de pouvoir encore lire sur ses lèvres plus aisément que ne le pouvait mon père.

« Qu'est-ce qu'il a dit ? demanda mon père.

— Tante Denise est un peu malade, dis-je.

— Elle travaille comme toujours, énonça mon oncle, mais elle se débat avec le diabète. Et maintenant
sa tension est élevée aussi. Comme la mienne.

— Pourquoi ne l'as-tu pas amenée pour qu'elle
voie un médecin ici ? demanda mon père.

— Li pa vle, dit mon oncle.

— Elle ne veut pas, dis-je à mon père.

— Elle croit surtout aux herbes, dit mon oncle. La
médecine de son pays. »

C'était un après-midi humide. Quand nous sommes
arrivés au taxi de mon père, Bob, en sueur, s'est arrêté
et a attendu que Papa ouvre le coffre. Je m'écartai et
rejoignit Bob près de la voiture. Mon père s'arrêta et
regarda mon oncle dans les yeux.

« Est-ce que tu vois tes enfants ? lança mon père
tout d'un coup comme s'il avait attendu longtemps
avant de le dire. Est-ce que tu vois comme ils ont
grandi ? »

Mon père décida qu'il valait mieux que ce soit moi
qui emmène mon oncle à sa consultation à l'hôpital
de Kings County le lendemain. J'étais en effet la seule
à pouvoir doublement servir d'interprète auprès de
mon oncle, d'abord du silence à la voix, puis du
créole à l'anglais. Assise à côté de lui dans la salle
d'attente bondée de la clinique ORL, avec, au-dessus
de nous, les affiches sur papier glacé présentant des
cous et des poumons malades, je vis son cancer prendre vie chez les hommes et les femmes qui nous

entouraient. Certains, comme lui, avaient subi une laryngectomie totale et ne pouvaient plus parler du tout. D'autres n'avaient eu qu'une laryngectomie partielle et s'exprimaient en une suite de murmures hachés par des difficultés respiratoires, en pressant l'extrémité de leurs doigts sur divers points de leur cou. Se penchant en avant pour les écouter, mon oncle parut envier ces personnes qui avaient la possibilité de faire connaître leurs désirs de base, même s'ils ne pouvaient pas soutenir de longues conversations.

Après avoir examiné mon oncle, le médecin, un jeune homme blond au visage rond de chérubin et à la tignasse coupée au bol, sortit une machine de la taille d'une saucisse et la plaça dans la main de mon oncle.

« Dites-lui, dit le médecin, que c'est une boîte vocale, un larynx artificiel qui amplifie ses murmures et permet aux gens de l'entendre et de le comprendre. »

Le médecin plaça sa main sur les doigts de mon oncle et l'aida à les refermer autour de l'instrument, puis le guida vers un point au-dessus de la gorge et lui demanda de parler.

« Parler ? » fit mon oncle.

La machine bourdonna en éructant des clameurs de parasites. Le médecin déplaça la main de mon oncle de quelques centimètres, puis lui répéta : « Parlez. »

Oncle Joseph ouvrit la bouche et essaya d'émettre quelques mots, mais aucun son ne sortit.

Le médecin changea la position de la main de quelques centimètres supplémentaires, puis lui demanda :

« Qu'est-ce que vous avez pris ce matin pour votre petit déjeuner ?

— Ze », dit-il. Des œufs.

Le son de la voix qui surgissait de son corps sur un ton monotone et robotique parut stupéfier mon oncle qui leva les sourcils de surprise.

« Continuez à parler, dit le médecin. Que voudriez-vous avoir pour déjeuner ?

— Je ne sais pas », dit Oncle Joseph, d'une voix mécanique un peu plus claire.

Son visage s'éclaira. Il sourit, en découvrant presque toutes ses fausses dents.

« Où peut-on acheter ça ? » demanda-t-il.

Le larynx artificiel était vendu dans un magasin de fournitures médicales près de l'hôpital. Après la consultation, nous allâmes en acheter un.

Plus tard dans l'après-midi, quand nous sommes retournés dans l'appartement de mes parents, ma mère n'était pas encore rentrée de son travail dans l'usine textile, mais mon père était là, assis sur le canapé bleu recouvert de plastique de la salle de séjour. Il passait en revue son courrier en jetant à l'occasion un œil à la télévision que Bob, Kelly et Karl regardaient assis sur le sol. Oncle Joseph arrêta la télévision, suscitant la protestation silencieuse des garçons qui firent la grimace. Il alla s'installer à côté de mon père et leur demanda également d'être attentifs.

« J'étais inquiet, lui dit mon père. Je croyais qu'ils allaient te garder à l'hôpital. »

Le plastique crissa sous le poids de mon oncle

quand il se pencha encore plus vers mon père. Mettant la main dans sa poche, il en retira la boîte vocale et la porta à son cou. La machine émit des bruits parasites lorsqu'il la mit en marche. Oncle Joseph régla le volume, puis l'appuya plus fort entre son menton et son cou.

« Mira, je peux parler », dit mon oncle, en émettant chaque mot en un son mécanisé.

Les garçons se précipitèrent vers le canapé et entourèrent mon oncle. Mon père rapprocha son visage de celui de mon oncle. Ses yeux s'élargirent en regardant la bouche de mon oncle d'un air ébahi.

« Comment est-ce possible ? demanda-t-il.

— Ce doit être un miracle, dit mon oncle. Qu'est-ce que ça peut être d'autre ?

— La science ? proposa mon père distraitement.

— La science est la manière dont Dieu protège les miracles », répondit Oncle Joseph.

Mon père prit mon oncle par la main et l'emmena dans un angle de la pièce, pour qu'il puisse mieux voir la machine et comprendre son interaction avec le cou de mon oncle. C'était leur première conversation depuis de nombreuses années et tous les deux paraissaient vouloir dépasser les aspects techniques pour revenir à un point proche de la normalité.

« Comment tes oreilles perçoivent-elles le son ? demanda mon père.

— Comment les tiennes le perçoivent ? » répliqua mon oncle.

Mon père fit une pause pour réfléchir, peut-être

afin de chercher une description de ce qu'il entendait qui fût à la fois pleine de tact et encourageante.

« Ça ressemble à yon robo », répondit-il. A un robot.

Mon père privilégia l'exactitude au réconfort. Mon oncle n'en fut pas déconcerté pour autant.

« A mon oreille, dit mon oncle, on dirait deux voix, ma propre voix à l'intérieur de ma tête et celle que tu entends. Je sais que ma voix va paraître bizarre. » Il souriait maintenant, en montrant toutes ses fausses dents. « Mais c'est mieux que de ne pas parler du tout. »

Cet été-là, lorsque mon oncle retourna en Haïti, il vendit sa première maison, celle où Bob et moi ainsi que tout le reste de la famille avions vécu avec lui et Tante Denise. La maison commençait à se délabrer et, comme tout le monde en était parti, elle paraissait trop grande pour Tante Denise et lui-même. Il construisit ensuite un petit logement de trois pièces dans la cour derrière l'école et l'église, et fit installer un téléphone avec lequel il nous appelait souvent. Parfois je l'appelais juste pour dire bonjour, ce qui paraissait un miracle en soi.

D'abord je disais : « Peux-tu croire que nous nous parlons ? » Et il disait : « Et le crois-tu, toi ? » Mais après quelques minutes, comme il me mettait au courant des événements, de sa vie, de Tante Denise, des nouvelles de la politique en Haïti, sa voix ne semblait pas plus étrange que la mienne ou que celle de n'importe qui d'autre. Il étendait son champ d'action, me dit-il, en ajoutant à l'école et à l'église de Bel Air une clinique que dirigeait Marie Micheline.

Marie Micheline avait quitté son travail d'infirmière en chef à l'autre clinique du quartier et aidait maintenant mon oncle dans son travail. Ils étaient ensemble plus que jamais. Elle avait trente-sept ans mais, d'après les photos que je vis d'elle, elle en paraissait toujours vingt-deux. Elle avait eu trois garçons après Ruth, avec deux hommes qui, selon l'expression de mon oncle, ne l'avaient pas assez aimée. Je m'imaginais souvent adulte et mon père parlant de moi avec la même indulgence que mon oncle parlant de Marie Micheline. C'est peut-être parce qu'il l'avait sauvée, non pas une fois, mais deux, qu'il éprouvait pour elle un amour plus profond, plus inconditionnel.

Après avoir quitté Haïti pour Cuba, le père biologique de Marie Micheline ne les avait jamais contactés, ce qui avait amené Tante Denise à l'appeler leur petite Moïse. Elle était *leur* enfant, mais contrairement à Tante Denise qui jugeait que Marie Micheline était gâtée, Oncle Joseph pensait qu'elle ne pouvait pas faire de mal.

« Il faut qu'elle se rende compte qu'elle n'est plus une petite fille jouant avec les garçons », disait Tante Denise même après que Marie Micheline avait eu quatre enfants.

« Elle attire à elle les hommes mauvais comme Pressoir, disait Oncle Joseph, mais ce n'est pas une mauvaise personne. »

Le 7 février 1986, le jour du soixante-troisième anniversaire de mon oncle, Jean-Claude « Bébé Doc » Duvalier s'enfuit de Haïti pour la France, laissant le pays aux mains d'une junte militaire qui resta au pouvoir pendant deux ans, dirigée par un ambitieux officier de l'armée, le lieutenant-général Henri Namphy. Un nouveau président, Leslie Manigat, prêta serment le 7 février 1988, le jour du soixante-cinquième anniversaire de mon oncle. Comme le départ de Bébé Doc eut lieu le 7 février, l'anniversaire de mon oncle était devenu la date officielle des investitures et des prestations de serment des présidents du pays.

Quatre mois après son arrivée au pouvoir, Leslie Manigat en fut chassé par le lieutenant-général Namphy. Bientôt, celui-ci fut à son tour renversé par un rival militaire, le général Prosper Avril. En avril 1989, un groupe d'anciens tontons macoutes et de partisans de Duvalier tentèrent de destituer Avril par un coup d'Etat qui échoua, ce qui créa de graves dissensions au sein de l'armée.

La lutte entre les factions militaires opposées atteignit Bel Air un après-midi d'avril lorsqu'un groupe en poursuivit un autre dans la rue Tirremasse jusqu'au portail en fer forgé de la clinique de l'église. Marie Micheline était assise seule derrière son bureau, et passait en revue les notes qu'elle avait griffonnées sur la vingtaine de patients qu'elle avait vus ce jour-là. Il s'agissait de cas peu importants, surtout des coupures et des égratignures, et deux nourrissons atteints de fièvres bénignes. Elle n'avait eu personne à envoyer à l'hôpital public.

Elle était probablement sur le point de glisser les dossiers dans un petit classeur métallique à côté d'elle, lorsqu'elle entendit un coup de feu suivi par une salve. En levant les yeux, elle avait dû voir un véhicule camouflé passer comme un tourbillon devant le portail métallique ouvert. A ce moment précis, elle avait dû penser à la quarantaine de personnes qui selon les reportages parus dans la presse étaient mortes cette semaine-là, prises entre deux feux dans des batailles semblables d'un bout à l'autre de Port-au-Prince. Elle avait dû penser à Ruth ou à ses trois jeunes fils, Pouchon, Marc et Ronald, qui devaient d'un instant à l'autre rentrer de l'école. Elle avait dû penser à Tante Denise à qui elle devait faire sa piqûre d'insuline dans quelques minutes. A Oncle Joseph, dont elle prenait la tension tous les jours à la même heure.

Elle se leva de son bureau et courut vers le portail, espérant pouvoir le fermer avant qu'un des soldats ne fasse irruption. Mais si quelqu'un avait besoin de son aide? Et si l'un de ses enfants, Ruth, Pouchon, Marc ou Ronald, venait à être tué parce que le portail fermé l'avait empêché d'entrer?

Des voisins la virent debout sur le seuil avec des perles de sueur sur le front. Puis une balle siffla dans l'air, en rebondissant sur le portail avec une étincelle.

La rue devint soudain floue, noyée dans le nuage de

poussière soulevé par les camionnettes militaires passant à vive allure. Avait-elle été abattue ? En plein cœur ? Elle porta les mains à sa poitrine et tomba au sol. Elle ne reprit jamais connaissance.

Le journaliste new-yorkais Ron Howell couvrait les événements de Bel Air cet après-midi-là et la mort de Marie Micheline fut le sujet d'un article paru dans *Newsday* le 17 avril 1989. Intitulé HAÏTI CHERCHE TOUJOURS À BRILLER, il était accompagné d'une photo en couleurs du cortège funèbre qui s'avançait lentement dans les rues du centre de Port-au-Prince.

Marie Micheline, écrivit Howell, était à plusieurs titres « un reflet de Haïti et de son potentiel, une lueur vacillante contrée dans sa tentative de briller ».

Quand vous apprenez qu'une personne que vous n'avez pas vue depuis longtemps est morte, ce n'est pas trop difficile de faire comme si rien ne s'était passé, comme si elle continuait à vivre comme avant, en votre absence, hors de votre vue. Le jour des obsèques de Marie Micheline, lorsque j'ai parlé à mon oncle au téléphone, j'ai pu faire l'expérience du plus gros défaut de sa nouvelle voix. Comme la distance, elle masquait la souffrance. Cependant, ses silences étaient comme des sanglots, l'étendue ou la contraction de ses mots des traces mécaniques de son chagrin.

Ce soir-là j'ai raconté à mon oncle une histoire dont je venais de me souvenir. J'avais alors huit ans et j'apportais à la maison un mot de l'école demandant que mon parent ou la personne qui s'occupait de moi vienne en classe pour me donner une fessée, parce que je n'avais pas terminé tous mes devoirs. Cet après-midi-là, de retour de l'école, j'avais donné le mot à Marie Micheline, pensant qu'elle serait plus douce que mon oncle ou Tante Denise. Mais le lendemain matin quand elle se rendit à l'école, Marie Micheline prit à part mon institutrice, Mademoiselle Sanon, une femme de haute taille, très mince et collet monté, et sous un amandier dans un angle de la cour de récréation animée, chuchota à son oreille pendant cinq minutes.

« Qu'est-ce que tu lui as dit? » demandai-je à Marie Micheline quand elle revint vers moi avec un large sourire.

J'empoignai ses mains, petites et douces, incapable de les imaginer me frappant avec le nerf de bœuf, le rigwaz, avec lequel parents et instituteurs fouettent les fesses ou les paumes de leurs enfants.

« Je vais la soigner, elle et toute sa famille, à la clinique du quartier pendant une année, dit-elle. Ils n'auront jamais à attendre et ils n'auront rien à payer. Pour cela, elle n'enverra à personne de ta classe des lettres demandant des fessées pendant un mois.

— Un mois seulement?

— C'est le mieux que j'ai pu faire, me répondit-elle.

— Ses enfants..., dit mon oncle à la fin de mon histoire. Comment quatre enfants peuvent-ils perdre leur mère comme ça, en un instant? »

Dans la crainte de les perdre aussi, il allait tenter

d'obtenir un visa pour Ruth et les garçons afin qu'ils rejoignent des parents de la mère biologique de Marie Micheline qui vivaient à présent au Canada.

Avant son enterrement, un médecin légiste avait déclaré officiellement que Marie Micheline était morte d'une crise cardiaque. Mais lorsque j'ai parlé à Tante Denise qui pleurait en prenant le ciel à témoin de sa peine, elle me dit que, pour elle, la vérité était plus simple et que personne ne pourrait l'en dissuader : en regardant les balles passer, la violence qui frappait son quartier, la rapide déchéance de son pays, Marie Micheline était morte de peur.

Dieu le Père et l'Ange de la Mort

En 1990, le général Prosper Avril quitta le pouvoir, ce qui permit de procéder à des élections en décembre 1990 qu'un jeune prêtre, Jean-Bertrand Aristide, qui avait su rassembler un nombre impressionnant de partisans grâce à ses sermons audacieux contre le régime des Duvalier, remporta avec 67 % des voix. Aristide prêta serment le 7 février 1991, le jour du soixante-huitième anniversaire de mon oncle.

Je me rappelle avoir parlé avec mon oncle ce soir-là. Après avoir accepté mes souhaits pour son anniversaire, il passa à Aristide, disant qu'il avait retrouvé chez le jeune prêtre des traits de son héros de jadis, Daniel Fignolé. Les discours enflammés d'Aristide et son parti politique, le Lavalas, ou « parti de l'inondation », résonnaient comme un écho à ce que Fignolé appelait son woulo kompresé, son rouleau compresseur, la foule de ses partisans d'une loyauté fanatique auxquels mon oncle avait appartenu.

Comme la plupart des gens, mon oncle avait voté pour Aristide.

« C'est certainement le meilleur, m'avait-il dit. Mais à mon âge, je ne suis plus intéressé par les meilleurs. Je m'intéresse aux gens qui m'entourent et à ce qu'il peut faire pour eux. »

Mais sept mois plus tard seulement, le 30 septembre 1991, Aristide fut renversé par un coup d'Etat militaire. Il se réfugia au Venezuela, puis à Washington où il demeura trois ans. Cependant, comme la plus grande partie de la population qui avait voté pour lui avec enthousiasme, les habitants de Bel Air continuaient, inébranlables, à réclamer le retour d'Aristide par des manifestations et des défilés. En représailles, l'armée fit des descentes dans le quartier, incendia des maisons et tua des voisins de mon oncle par centaines.

Mon oncle parvint à s'en sortir indemne en évitant de participer aux manifestations et à toute autre forme d'activité ouvertement politique, comme de s'élever contre les militaires du haut de sa chaire dans son église. Mais, tous les matins, il se levait pour compter les nombreux cadavres ensanglantés qui jonchaient les rues et les ruelles de Bel Air. Pendant les années où il ne pouvait pas parler, il avait pris l'habitude de prendre des notes et c'est ainsi qu'il garda une trace des cadavres sur des petits carnets qui ne quittaient jamais la poche de sa veste. Dans ces cahiers, il écrivait les noms des victimes quand il les connaissait, l'état des corps et l'heure à laquelle ils étaient enlevés, soit par leur famille, soit par les services sanitaires, pour être transportés à la morgue ou jetés dans des fosses communes.

Jonas, env. 20 ans, main droite absente, 11 h 35.
Gladys, env. 35 ans, nue, 15 h 09.
Samuel, 75 ans, chany (cireur de chaussures), 17 h 42.
Homme inconnu, env. 25 ans, visage mutilé, 21 h 17.

Pendant les premières semaines du coup d'Etat, mon père téléphonait presque tous les jours, suppliant mon oncle et Tante Denise de quitter Bel Air. Ils allaient bien à Léogâne pour quelques jours rendre visite à Léone, la sœur de Tante Denise, mais revenaient toujours pour les offices du dimanche.

D'anxieux, mon père était devenu furieux, criant à la fin de leurs conversations : « Tu es responsable. Quoi qu'il t'arrive là-bas, c'est toi le responsable si tu ne t'en vas pas. »

Je ne sais pas vraiment pourquoi mon oncle et Tante Denise n'ont jamais voulu quitter Haïti. Peut-être est-ce simplement qu'ils n'acceptaient pas d'être chassés de chez eux.

Après la mort de Marie Micheline, j'ai demandé à mon oncle pour quelle raison eux et, en conséquence Marie Micheline, n'avaient pas essayé de s'installer à New York comme mes parents l'avaient fait.

« Ce n'est pas facile de repartir de zéro dans un nouveau lieu, me répondit-il. L'exil n'est pas fait pour tout le monde. Quelqu'un doit rester derrière, pour recevoir les lettres et accueillir la famille quand ils reviennent. »

En outre, il avait plus de travail, plus d'âmes à sauver, plus d'enfants à qui enseigner.

A l'automne 1994, Aristide revint en Haïti, accompagné de vingt mille soldats américains. Evoquant la brutalité du régime militaire et la menace d'un exode de masse de réfugiés haïtiens sur les côtes de Floride toutes proches, le président Bill Clinton lança l'opération Restaurer la démocratie.

Le jour du retour d'Aristide, Tante Denise eut une attaque cardiaque bénigne. Après plus de deux décennies d'absence, mon cousin Maxo retourna à Bel Air. Cet automne-là, je revins moi aussi en Haïti pour la première fois, à l'âge de vingt-cinq ans.

Sur le trajet me menant à Bel Air, à travers le pare-brise fendu de la voiture de location, je vis plus de gens dans les rues à présent défoncées que je n'en avais gardé le souvenir. Sur presque chaque mur une peinture représentait un coq, symbole du parti Lavalas d'Aristide, ou l'hélicoptère militaire américain à bord duquel Aristide était rentré au palais national. Il y avait aussi en tout lieu des monuments rappelant les pertes subies : les bidonvilles carbonisés de la Saline et de Cité Soleil, les bustes et les frises des victimes de meurtres, un ministre de la Justice, le financier d'une campagne politique et un prêtre bien-aimé, parmi des milliers d'autres. Des tas de briques et de cendres s'élevaient là où se dressaient des maisons et des bureaux, parfois des bâtiments construits et démolis dans les années qui s'étaient écoulées depuis mon départ. Des morceaux entiers de Port-au-Prince, je m'en rendis compte, avaient été totalement assemblés et désassemblés en mon absence.

De bien d'autres façons, cependant, très peu de choses avaient changé. Les mendiants estropiés étaient toujours alignés sur les marches de la cathédrale nationale, avec en face, les étals dispersés des marchands de livres d'occasion. Les porteuses d'eau transportaient toujours leurs seaux sur la tête. Les kiosques de loterie peints de couleurs vives vendaient toujours des centaines de billets à des rêveurs pleins d'espoir. Les demandeurs de visa s'agglutinaient toujours en rangs serrés aux portes du consulat américain.

La rue de mon oncle était maintenant bordée de bâtisses en béton inachevées aux formes étranges. Les ruelles étaient en piteux état et emplies d'ordures. Cependant, lorsqu'il me montra sa liste de victimes écrites en caractères si minuscules qu'il dut m'aider à les déchiffrer, tout ce que je vis fut Jonas, Gladys, Samuel et les centaines d'hommes et de femmes qui étaient morts, leurs corps mutilés pourrissant pour l'éternité sous le soleil brûlant.

Le logement d'Oncle Joseph et Tante Denise était peint en rose comme la vieille maison, sauf la salle à manger donnant sur la cour minuscule, qui était d'un turquoise vif. Tante Denise était beaucoup plus mince, ses mouvements mesurés et lents. Ses cheveux, qu'elle avait commencé à teindre, avant d'arrêter, étaient d'un rouge éclatant aux extrémités et gris à la racine. Elle y porta la main d'un geste emprunté quand elle me vit.

« Je n'ai pas ma perruque. » Elle tressaillit et avança la tête au moment même où je m'approchai.

Elle était assise sur un lit de camp dans la salle de séjour, où elle faisait ses siestes et où, parfois, elle passait la nuit. Ses jambes gonflées étaient appuyées sur un petit tabouret et une sandale ouverte se balançait au bout de son pied. Un ventilateur pivotait en demi-cercle dans un angle de la pièce, près de la fenêtre, et de temps à autre soufflait un courant d'air chaud sur son visage. Elle était vêtue d'une simple chemise de nuit de coton blanc que, me dit-on, elle portait presque tout le temps. Elle sentait l'huile de ricin et le camphre exactement comme sa Granmé Melina. Son éclat, ses robes élégantes, son joli visage, ses perruques, ses gants, tout cela semblait appartenir à un passé très lointain. Comme les bâtiments, elle avait été désassemblée en mon absence. Elle ne me reconnut pas tout de suite.

« C'est Edwidge », dis-je, avec l'impression d'être une étrangère à présent non seulement pour elle, mais pour Bel Air et même pour Haïti.

« La fille de Mira, Edwidge ? » dit-elle. Sa lèvre inférieure tombait, ce qui l'empêchait de bien articuler.

Se saisissant de ma main avec plus de force que je n'en attendais, elle me tira vers son giron, comme si j'étais une enfant.

« Edwidge, laisse-moi te raconter une histoire », dit-elle en plantant énergiquement ses coudes dans mes côtes.

L'histoire qu'elle me raconta, avec lenteur, sur un ton hésitant, en m'entourant fermement de ses bras, parlait de Dieu et de l'Ange de la Mort. C'était une histoire de Granmé Melina, l'une de celles qui servaient, nous disait-elle, à maintenir la mort à distance. A la fin, Granmé ne racontait plus cette histoire, car c'est elle qui voulait mourir.

« Un jour... », commença Tante Denise. D'un côté de sa bouche s'écoulait un filet de bave que j'essuyai à plusieurs reprises avec la serviette de toilette qui recouvrait le dossier de son fauteuil.

« ... Dieu le Père et l'Ange de la Mort flânaient ensemble dans un quartier comme Bel Air, dans une ville très peuplée comme Port-au-Prince », continua-t-elle.

Au cours de leur promenade, l'Ange de la Mort s'arrêtait devant de nombreuses maisons et disait : « Un homme est mort ici le mois dernier. Je l'ai emmené. » Puis, alors qu'ils poursuivaient leur chemin dans la rue, l'Ange de la Mort ajouta : « J'ai emporté une grand-mère dans cette maison hier.

— Je fais les gens et tu les prends, dit Dieu le Père. C'est pour cela qu'ils m'aiment plus qu'ils ne t'aiment.

— Tu crois vraiment à cela ? demanda l'Ange de la Mort.

— Sans aucun doute, répondit Dieu le Père.

— Si tu es si sûr de toi, dit l'Ange de la Mort, arrêtons-nous ici dans la rue Tirremasse et demandons chacun notre tour un verre d'eau pour voir ce qui arrive. »

Alors Dieu le Père frappa à la porte la plus proche et quand la maîtresse de maison l'ouvrit, il dit : « Madame, puis-je vous demander un peu d'eau ?

— Non, répondit la femme, irritée. Je n'ai pas d'eau en trop.

— S'il vous plaît, dit Dieu le Père. Je meurs de soif.

— Désolée, dit la femme, mais je n'ai pas d'eau à donner. La fontaine publique est à sec depuis plusieurs jours et il faut que j'achète l'eau au seau à la porteuse qui a doublé ses prix. Alors j'ai juste ce qu'il faut pour moi et ma famille.

— Je suis sûr que vous me donneriez de l'eau si vous saviez qui je suis, dit Dieu le Père.

— Peu m'importe qui vous êtes, dit la femme. Le seul à qui je donnerais mon eau là, tout de suite, c'est l'Ange de la Mort.

— Mais je suis Dieu, insista Dieu le Père. Pourquoi donneriez-vous votre eau à l'Ange de la Mort et pas à moi ?

— Parce que, répondit la femme, l'Ange de la Mort n'a pas de préférés. Il nous prend tous, les boiteux et les costauds, les jeunes et les vieux, les riches et les pauvres, les laids et les beaux. Mais vous, vous apportez la paix à certains et en abandonnez d'autres comme nous dans des zones de guerre telles que Bel Air. Vous donnez à manger à certains, alors que d'autres souffrent de la faim. Vous rendez certains puissants et laissez d'autres sans défense. Avec vous, certains sont en bonne santé et d'autres malades. Vous donnez aux uns toute l'eau dont ils ont besoin tandis que d'autres en ont très peu. »

Baissant la tête de honte, Dieu le Père s'éloigna et la femme, lorsque l'Ange de la Mort vint frapper à son huis, lui donna toute l'eau qu'elle avait chez elle.

« Et à cause de cela, conclut Tante Denise, sans même avoir conscience, semblait-il, du poids de mon corps, maintenant aussi lourd et amolli que le sien, sur ses genoux, l'Ange de la Mort ne revint pas rendre visite à cette femme avant longtemps. »

Tu n'es pas de la police

Tante Denise mourut d'une attaque cardiaque fulgurante le lendemain du quatre-vingtième anniversaire de mon oncle, en février 2003. Elle avait quatre-vingt-un ans. Mon père et moi nous prîmes l'avion pour Haïti ensemble afin d'assister à l'enterrement.

C'était le troisième voyage de mon père en Haïti en trente-deux ans depuis son premier départ et mon vingt-cinquième en presque une décennie. Après ce premier voyage en 1994, je revins souvent, pas uniquement dans la capitale, mais aussi en d'autres régions du pays, comme assistante d'enseignement dans un cours d'été en bord de mer pour des étudiants américains. J'ai également accompagné des cinéastes américains venant tourner des documentaires. Je suis venue interviewer des artistes pour des catalogues d'art, assister à des conférences universitaires, puis restée plusieurs semaines pour écrire un petit livre sur le carnaval d'une ville du sud de Haïti, Jacmel.

Pendant ces voyages, lorsque mes occupations et les

circonstances ne me permettaient pas d'aller à Bel Air, mon oncle venait me voir, dans ma chambre d'hôtel, dans une salle de conférences, dans une bibliothèque ou quelque salle de cours d'université. Mais je me sentais coupable quand je ne pouvais pas me rendre dans l'appartement de Bel Air, parce que c'était le seul moyen que j'avais de voir Tante Denise qui ne se risquait plus en dehors de la maison, car elle n'était plus très solide sur ses jambes.

Chaque fois que cela m'était possible, cependant, je prolongeais mon séjour à Bel Air. Pendant ces visites, mon oncle aimait que j'assiste à l'office du dimanche dans son église, au cours duquel il me présentait aux fidèles, qui au fil des années s'étaient limités à environ soixante-quinze personnes, dont une majorité de personnes d'âge moyen ou plus âgées.

Pendant ces offices du dimanche matin, je me tenais gauchement face à l'assemblée, avec tous ces visages que je reconnaissais à peine, et qui, sans présentations de mon oncle, ne m'auraient pas reconnue du tout, et je leur disais combien j'étais heureuse de les voir. Après être retournée sur mon siège, mon oncle racontait une tranche de l'histoire de ma famille, comment mon père et ma mère s'étaient rencontrés, comment ils avaient laissé Bob et moi lorsqu'ils étaient partis lòt bò dlo, à l'autre bout de l'eau.

« Nous venons ici pour un enterrement », dit mon père au fonctionnaire de l'immigration qui, sans dire un mot, examinait nos passeports américains à l'aéroport Toussaint-Louverture. Mon père et moi avions obtenu la nationalité américaine exactement dix ans après avoir reçu notre carte verte et nous nous sentions tous les deux un peu dans la peau de renégats lorsque le fonctionnaire apposa à la hâte sa signature sur les formulaires de douane destinés aux étrangers.

En poussant notre chariot dehors en plein soleil, mon père eut un mouvement de recul, comme cela lui arrivait dans un environnement qui ne lui était pas familier. Dans le parking à l'extérieur de l'aéroport, Oncle Joseph s'avança vers nous, prit la main de mon père et la secoua plusieurs fois avant de la lâcher. A quatre-vingts ans, Oncle Joseph avait l'air beaucoup plus jeune que mon père. Contrairement à Papa, il ne perdait pas ses cheveux, ne grisonnait pas et avait l'air solide et musclé d'un homme habitué depuis toujours à se déplacer tout le temps à pied. Ensuite, ma tante Zi fendit la foule des personnes venues accueillir leurs parents ou amis, en hurlant le nom de mon père. Tante Zi et Oncle Joseph avait la même peau d'un noir profond, le même front en forme de calebasse. Plus petite que mon père d'au moins trente centimètres, Tante Zi s'appuya sur son épaule, l'embrassa partout sur le visage, puis essaya de le soulever du sol. Comme elle n'y arrivait pas, elle se tourna vers moi, et, manquant de me renverser, elle plongea son visage dans mon cou comme elle le faisait quand j'étais petite fille.

Mettant la main dans la poche de sa chemise, mon oncle sortit sa boîte vocale et dit, comme si nous apprenions la nouvelle pour la première fois, « Mira, Edwidge, vous savez? Madam mwen mouri. » Ma femme est morte.

Pendant le trajet vers Bel Air, nous fûmes arrêtés à un barrage routier par deux policiers armés de pistolets mitrailleurs Uzi qui reprochèrent au chauffeur d'avoir un permis de conduire périmé mais le laissèrent partir contre un bakchich de vingt dollars haïtiens qui, nous dit le chauffeur avec une certaine fermeté, devrait être ajouté au prix de la course. Mon oncle et Tante Zi dirent qu'ils ne paieraient pas le bakchich, mais avant que le chauffeur nous ait demandé de descendre, mon père accepta. La course était déjà si bon marché, dit mon père. Le policier n'aurait certainement pas arrêté le chauffeur s'il n'avait pas remarqué qu'il transportait des gens venus de l'étranger.

J'avais rarement eu des rencontres de ce type en dehors de Bel Air, en dehors de Port-au-Prince, dis-je à mon père.

Nulle part ailleurs ce genre de choses ne peut se produire, si ce n'est à Bel Air, ajouta Tante Zi en écho.

« Ma femme vient de mourir », dit Oncle Joseph au chauffeur quand il nous laissa devant l'église. Mon oncle désirait avoir la considération du policier, la sympathie du chauffeur. Il voulait croire que la perte qu'il avait subie pouvait changer la manière dont les autres agissaient envers lui.

« Mes condoléances », répondit le chauffeur en acceptant le double de la course et l'argent du bakchich.

Dans ce type d'échange, mon père était le plus souvent de l'autre côté. Il était habituellement le chauffeur et non celui qui était transporté. Je me rendis compte qu'il avait peut-être le sentiment de devoir rattraper, par l'intermédiaire de cet homme, certains des torts qui lui avaient été causés quand il était au volant de son taxi.

Mon père s'installa avec mon oncle dans la chambre de celui-ci, dormant sur un lit de camp près du grand lit que lui et Tante Denise avaient souvent partagé. Quant à moi, je m'installai dans une chambre donnant sur la cuisine, non loin de la leur.

Peu après notre arrivée, mon père accompagna mon oncle au cimetière pour faire nettoyer le caveau familial, chez le fleuriste pour commander les couronnes, chez le photocopieur pour faire imprimer les faire-part. Et bien évidemment je les suivis partout. Mon père commençait à avoir le souffle court, signe que nous avions pris pour une réaction allergique à la poussière de Port-au-Prince, et haletait de temps à autre quand nous zigzaguions dans les rues noires de monde et écrasées de chaleur. Mais comme chaque arrêt rapprochait mon oncle de l'adieu final à sa femme, c'est lui qui souvent s'arrêtait pour se reposer. Quand il apercevait un réverbère à un angle de rue, il l'entourait de ses bras et pleurait.

Tante Denise était morte dans la semaine précédant le début du carnaval national de Haïti. La veille des

festivités, sa ville, son quartier étaient pleins de clameurs et de bruits. On entendait des chansons de
carnaval retentir dans presque toutes les maisons, mais
pas dans la sienne. Nous étions encore à deux jours
des obsèques de Tante Denise lorsque, désireux
d'avoir un peu de paix et de tranquillité, mon père
décida d'accompagner le fils de Tante Zi, mon cousin
Richard, directeur de la coopérative funéraire en
charge des obsèques, à un autre enterrement à Grand
Goâve, un village du sud de Port-au-Prince. Je décidai d'aller avec eux.

Je ne me rendis compte de la complexité que pré-
senteraient les obsèques de Grand Goâve qu'au moment où nous allâmes chercher le cercueil. Après
avoir garé la voiture dans une rue caillouteuse et
accidentée et descendu une ruelle humide et glissante,
puis avoir gravi une échelle instable jusqu'à un atelier
au premier étage, nous trouvâmes le menuisier qui
apportait les dernières retouches à une bière de cèdre
en agrafant un tissu blanc au capiton et en ajoutant
une éponge recouverte de velours comme oreiller.
Dès que le travail fut achevé, Richard alla au rez-de-
chaussée recevoir le cercueil de cèdre que le menuisier et son apprenti descendirent jusqu'à lui à l'aide de
cordes.

Notre arrêt suivant fut pour une morgue privée,
située rue de l'Enterrement, utilisée par la coopérative
de Richard. C'était aussi la morgue où le corps de
Tante Denise avait été déposé. Quelques jours plus
tard, je la verrais là également, comme je voyais

maintenant cet étranger nu aux cheveux blancs qu'on habillait et qu'on poudrait avant de le placer dans la bière toute neuve.

Alors que nous nous faufilions au milieu de l'intense circulation avec le cercueil et son occupant arrimé sur le toit de la voiture, mon père, encore sous le coup de l'émotion, demanda à mon cousin : « Pas de corbillard ? »

Mon cousin expliqua qu'il n'avait pas pu en obtenir un à temps et pour un si long trajet. Mais il lui assura que Tante Denise en aurait un pour son voyage vers le cimetière.

Je devinais à quoi pensait mon père. C'était un jour de forte chaleur. Le soleil n'allait-il pas abîmer le corps ? Quant à moi, j'étais inquiète à l'idée que le cercueil pourrait échapper aux cordes qui le retenaient, le corps tomber au sol et mon cousin être contraint de le remettre en place au plus vite et que, dans sa hâte, il pourrait laisser quelques traces de saleté sur le vieil homme, ce qui ajouterait à la peine de la famille quand elle le verrait. Mais le vieil homme ne bougea pas pendant les quatre-vingt-dix minutes du trajet et nous arrivâmes à Grand Goâve sans incident.

Richard déposa le corps à l'église, puis nous emmena chez une collègue pour y déjeuner. Pendant qu'ils discutaient des affaires de la coopérative sous un avocatier géant, dans la cour clôturée de cactus derrière la maison, je me rendis compte que Richard n'était pas seulement un entrepreneur de pompes funèbres mais aussi un homme politique en herbe dont le travail avait indirectement trait au président Aristide.

Après avoir quitté le pouvoir en 1996, l'ancien prêtre avait obtenu un second mandat en 2000 dans une élection dont les résultats furent contestés par une coalition de partis d'opposition. Trois ans plus tard, en 2003, les fonds internationaux ayant été gelés à l'issue des élections, on assista à des manifestations massives réclamant son départ. Ses partisans, dont un grand nombre étaient originaires de Bel Air, formèrent de leur côté d'énormes rassemblements qui s'achevèrent parfois par des affrontements meurtriers entre les deux groupes. Membre actif de plusieurs groupes anti-Aristide, Richard, comme la plupart des futurs hommes politiques, comptait sur ses actions caritatives pour se rendre populaire, ce qui le mit en conflit direct avec des bandes pro-Aristide de Bel Air, dont plusieurs, comme il le dit sur un ton désinvolte à sa collègue, voulaient le tuer.

C'étaient là, malgré tout, des signes que les choses changeaient pour lui, expliquait Richard. Quelques semaines plus tôt, alors qu'il rentrait tard une nuit, quelqu'un fit signe à la voiture de s'arrêter, lui ordonna de baisser sa vitre et appuya un revolver sur sa tempe. En entendant le bruit d'armement de la détente, il se fit rapidement connaître. Quand il entendit le nom de Richard, son assassin en puissance lui demanda pardon et lui dit : « Chef, excusez-moi. Je ne m'étais pas rendu compte que c'était vous. Vous avez enterré ma mère il y a quelques mois. »

Durant toute la cérémonie des obsèques du vieil homme à Grand Goâve, en présence des membres de la famille qui pleuraient et gémissaient, Richard, qui avait raconté l'histoire de sa tentative de meurtre avec un grand calme, sur un ton amusé même, resta assis avec mon père et moi sur le dernier banc et, la tête appuyée contre le mur, il s'endormit. Ensuite il nous raccompagna à Bel Air à toute vitesse de manière à être de retour chez lui avant de tomber dans une embuscade que les bandes pourraient lui dresser dans l'obscurité.

Il n'y eut pas de veillée mortuaire pour Tante Denise. Craignant que des gangs du quartier n'en profitent pour prendre d'assaut la maison, Oncle Joseph renvoya chez eux tous ses visiteurs à huit heures du soir et verrouilla ses portes.

Quand tout le monde fut parti, mon père et moi restâmes avec Léone et les frères de Tante Denise, Georges et Bosi. On fit circuler des photos de Tante Denise très élégante dans les nombreuses robes qu'elle s'était cousues elle-même pendant toutes ces années. Mon père, Léone, Bosi et Georges regardèrent ces photos et évoquèrent jusque tard dans la nuit l'amour qu'elle portait aux vêtements et la fabrication de ceux qu'elle se cousait, parfois même plutôt mal quand elle était pressée.

Alors que je m'assoupissais, leurs rires me réveillèrent à plusieurs reprises.

« Denise, cette vieille chèvre, dit Léone en riant. Elle était vraiment entêtée. »

Le matin de l'enterrement, je pris plusieurs photos de mon père et d'Oncle Joseph s'habillant dans la chambre que mon oncle et sa femme avaient partagée. Quand il sortit un costume bleu marine de leur armoire d'acajou, Oncle Joseph fit un geste de la main à l'adresse de mon père.

« C'est la première fois que je le porte », dit-il à mon père.

Mon père prit le costume et, comme le tailleur qu'il fut jadis, examina le tissu en le tâtant entre ses doigts. L'étoffe ressemblait à de la soie mais était un mélange de coton et de Lycra que mon oncle avait choisi car il permettait à la veste de s'étirer sans se déformer.

« La prochaine fois que je le porterai, dit mon oncle, ce sera pour mon enterrement. »

Quand je regarde aujourd'hui ces photos, n'étaient les visages solennels de mon père et de mon oncle, je pourrais presque imaginer que mon père aidait simplement son frère à faire son nœud de cravate. Peut-être était-ce quelque chose qu'ils avaient fait quand ils étaient plus jeunes, s'entraider pour s'habiller en des occasions festives ou tristes. Mais avaient-ils vraiment fait cela ? Ils avaient tous les deux tant travaillé quand ils vivaient dans le même pays qu'ils disposaient de bien peu de temps pour l'amitié et les loisirs. Ensuite ils avaient passé tellement d'années séparés qu'ils avaient partagé très peu de moments que de nombreux autres frères auraient pu considérer comme tout naturels.

Mon oncle me chargea de porter à la morgue le beau tailleur blanc, orné de perles, que Tante Denise avait choisi pour son enterrement quelques semaines plus tôt.

Arrivée à la morgue, j'hésitai avant d'entrer dans la petite salle d'habillage. Mais n'avais-je pas, deux jours auparavant, vu les employés des pompes funèbres mettre un costume à un homme qui m'était totalement étranger sur la même table où Tante Denise serait bientôt allongée?

Couchée nue, parfaitement droite, le corps rigide, les yeux clos, Tante Denise paraissait dormir. Mais quand mes yeux errèrent sur les plis de son cou jusqu'aux plis plus larges de son ventre, puis plus bas sur les poils de son pubis toujours noirs, l'illusion disparut. L'habilleur, un jeune homme affecté d'un strabisme et qui ne paraissait pas avoir plus de vingt ans, allongea les bras vers les cuisses de Tante Denise qu'il écarta d'un geste brusque. Puis il lui leva les bras en les laissant retomber lourdement après avoir placé les gants. La tête retomba en arrière quand il passa le sous-vêtement et je tendis le bras en plaçant rapidement ma main entre la perruque à la coupe au carré et la table métallique.

« Laissez-moi faire, s'il vous plaît, mademoiselle », me dit le jeune homme d'une voix si profonde qu'elle semblait venir de la bouche de quelqu'un d'autre. Redressant la perruque qui avait glissé sur le côté de la tête de Tante Denise, il se servit d'une fine éponge pour étaler une épaisse couche de fond de teint brun foncé sur le visage, puis appliqua au pinceau deux lignes de fard sur les joues. Quand il ajouta de la couleur marron sur les lèvres, Tante Denise parut enfin ressembler à ce qu'elle était autrefois. Dans la mort, elle avait retrouvé un peu de l'élégance et de l'éclat de sa jeunesse, avant le diabète, avant l'hypertension, avant les attaques, les départs et les pertes insupportables qui, selon mon oncle, l'avaient bouleversée plus que ses maux physiques.

L'enterrement de Tante Denise fut un succès. Il faisait très chaud cet après-midi-là, mais l'église était pleine à craquer, emplie bien au-delà de sa capacité d'accueil limitée à deux cents personnes. Comme elle était la femme du pasteur et avait, pendant longtemps, avant de tomber malade, préparé les déjeuners gratuits de la cantine de l'école, ils furent nombreux à venir lui rendre un dernier hommage. Ceux qui ne purent pas entrer dans l'église, des voisins et des élèves anciens ou actuels, se rangèrent des deux côtés de la rue Tirremasse.

Pendant l'office, mon oncle se leva de sa chaise près de l'autel et, d'un pas mal assuré, se dirigea vers le micro du pupitre.

« Elle était mon amie, mon épouse, la femme qui a été à mes côtés quand je pouvais parler et quand j'étais silencieux », dit-il.

Je me rappelais qu'il avait tant voulu parler lors des obsèques de Granmé Melina. Au moins, maintenant, il pouvait, ai-je pensé. Mais il fut incapable d'en dire plus et il regagna sa chaise le visage dans ses mains.

Après le service, l'assistance s'entassa dans des voitures et des cars et, à travers les rues sinueuses, suivit le corbillard qui prit la direction du cimetière en passant devant la vieille cathédrale. J'étais dans la voiture juste derrière le corbillard et vis plusieurs personnes s'arrêter et regarder à l'intérieur de l'auto, en faisant des signes de la tête pour exprimer leurs condoléances à mon oncle et à mon père assis sur le siège de devant avec le chauffeur. En approchant de l'énorme portail de fer forgé du cimetière, nous sortîmes des voitures et, comme c'est la coutume, nous nous mîmes en rang pour faire le dernier kilomètre à pied jusqu'à la tombe.

Je marchais près de mon père et de mon oncle lorsque trois coups de feu tirés à la file retentirent. L'assistance se dispersa en une fuite précipitée et disparut à l'angle des rues et dans les ruelles, nous laissant au milieu de la chaussée soudain vide. Les raisons de cet émoi n'apparaissaient pas clairement. Mon cœur battait la chamade et la sueur coulait sur mon visage. Etait-ce ce que Marie Micheline avait ressenti avant de mourir ?

Les ongles de mon père s'enfonçaient dans mon avant-bras.

« Edwidge ! s'écria-t-il, d'un ton angoissé.

— Papa, dis-je en essayant de me concentrer sur son visage inquiet.

— On dirait que tu vas t'évanouir », dit-il.

Mon oncle s'était éloigné en direction d'un groupe d'assistants de l'église qui tentaient de reformer le cortège. L'alerte était passée, criaient-ils. La tempête était finie. Nous pouvions poursuivre notre route.

Les gens sortirent peu à peu de derrière des voitures, des vérandas de magasins, des ruelles, des porches. La procession se remit lentement en marche, là où mon oncle, mon père, le corbillard et moi nous nous trouvions.

Plus tard, nous avons appris que les coups de feu avaient fait suite à une attaque par des membres d'un gang du quartier contre un gardien du cimetière. Celui-ci avait tiré trois coups de feu en l'air pour les effrayer. Lorsque nous sommes repartis vers la tombe, je n'oublierai jamais Léone qui s'était écriée : « Denise, sé mwen, ma sœur, c'est quoi ça ? Vingt et un coups de canon pour te saluer ? Tu n'es pas dans l'armée, Denise. Tu n'es pas de la police. Pourquoi est-ce qu'on tire des coups de feu à ton enterrement ? »

Mon frère, je te quitte le cœur gros

A la fin du mois d'août 2004, Oncle Joseph vint pour nous rendre visite à New York. A quatre-vingt-un ans et sans Tante Denise pour lui tenir compagnie, il voulait s'accorder quelque répit, le nombre des manifestations ne cessant d'augmenter à Bel Air. Le voyage d'Oncle Joseph coïncida aussi avec la première hospitalisation de mon père après son diagnostic.

J'approchais de la fin du premier trimestre de ma grossesse et bien que n'ayant plus de nausées matinales, je me sentais fatiguée et, certains matins chauds de Miami, je ne pouvais m'empêcher de pleurer quand je me réveillais seule dans mon lit alors que mon mari était parti travailler. Etre séparée des autres m'apparaissait comme une forme d'isolement beaucoup plus sévère, une condamnation au bannissement parce que je n'étais pas aux côtés de mon père mourant. Aussi lorsque Bob me téléphona pour m'apprendre que Papa était à l'hôpital, je sortis du lit d'un bond et sautai à bord du premier avion en partance pour New York.

Karl vint me chercher. (Et même cela me parut étrange, car c'était toujours mon père qui venait m'accueillir à l'aéroport.) Ma mère et Oncle Joseph étaient assis sur le siège arrière. Je vis qu'Oncle Joseph avait perdu plusieurs kilos depuis les obsèques de Tante Denise – surtout à cause d'une alimentation moins copieuse, me dit-il, maintenant que sa femme n'était plus là –, mais il avait l'air alerte et en pleine forme. Comme celui de ma mère, son visage trahissait une peur secrète dont je devinai immédiatement la cause : l'état de santé de mon père.

« Alors, comment va le patient ? demandai-je, essayant de détendre l'atmosphère de ce moment à l'évidence empreint de gravité.

— Tu le verras toi-même, dit Karl, dont le visage, de profil, demeura indéchiffrable. Nous t'emmenons le voir tout de suite. »

Les choses avaient-elles pu se passer si vite ? me suis-je demandé. Quelques semaines seulement après le diagnostic de mon père, me conduisait-on à son chevet pour lui dire adieu ?

« Que dit le médecin ?

— Pas grand-chose, répondit Karl. On lui fait des intraveineuses. Il est aussi sous assistance respiratoire, mais ils ne vont pas le garder longtemps. Le médecin nous l'a déjà dit. »

J'étais abasourdie de voir qu'il était possible d'abandonner si vite quelqu'un d'aussi malade que mon père. J'avais toujours cru que plus une personne était malade, plus les médecins s'acharnaient à la sauver. Il n'en était pas ainsi, semblait-il.

Quand nous arrivâmes à l'hôpital, je vis mon oncle enfiler à vive allure le long couloir menant à la chambre de mon père. Malgré son hypertension et une inflammation de la prostate, les seuls signes évidents de ses quatre-vingt-un ans étaient ses lunettes à double foyer et la façon dont son corps penchait légèrement de côté. Il portait son costume et sa cravate sombres habituels et tenait sous son aisselle une énorme bible.

Avant d'entrer dans la chambre, ma mère, dont les mains étaient sciées par le poids d'un sac rempli de boîtes Tupperware pleines de nourriture, attendit que nous soyons tous réunis. Les yeux pleins de larmes, elle dit : « Si vous avez l'air triste, vous le rendrez plus triste encore. Alors, s'il vous plaît, ayez l'air pleins d'espoir. » Et alors, comme si on avait saupoudré ses yeux fatigués et rougis d'une poudre magique, son visage s'illumina d'un sourire optimiste.

Le lit de mon père était près de la fenêtre, ce qui lui permettait de voir le parking en contrebas. Mais son regard ne quittait pas le poste de télévision fixé sur le mur d'en face.

Il ne s'attendait pas à me voir. Abaissant son masque à oxygène, il m'entoura de ses bras.

Il était encore plus mince que la dernière fois que je

l'avais vu, mais son visage était rond et bouffi par la prednisone. Il paraissait détendu, calme, comme s'il appréciait le répit que lui offrait l'hôpital, ce bref moment durant lequel il n'avait pas à affronter seul la maladie. Là, au moins, il pouvait pour un temps en confier la gestion aux médecins et aux infirmières.

« Comment va Fedo ? demanda-t-il.

— Bien, dis-je.

— Et la vie de couple ? »

Il fit courir son doigt sur ma robe, pour voir comment le bébé avait grossi. On ne voyait encore rien. J'avais simplement l'air d'avoir pris quelques kilos.

Se tournant vers mon oncle, mon père lui fit un clin d'œil. Je n'avais pas eu l'occasion de lui dire que j'étais enceinte. Son téléphone à Bel Air ne marchait plus. J'aurais vraisemblablement dû l'informer plus tôt en lui écrivant une lettre mais, comme avec mes parents, je n'avais trouvé ni le ton ni le temps.

« Ta fille, dit mon père, pour taquiner mon oncle. Et elle ne t'a même pas dit que tu allais être grand-père. »

Mon oncle battit des mains pour exprimer sa joie.

« Denise aurait été si contente », dit-il.

Mon père sortit de l'hôpital le lendemain. Après avoir consulté le docteur Padman, un interne lui fit une ordonnance pour une assistance sous oxygène vingt-quatre heures sur vingt-quatre. Une fois les bouteilles livrées, mon père arrêta de travailler. Son emploi du temps quotidien se limitait maintenant à quelques activités. Il se levait le matin et allait dans la salle de bains pour prendre une douche et se brosser les dents. Puis il retournait au lit, où ma mère lui apportait son petit déjeuner, du thé, une soupe, parfois des œufs brouillés ou à la coque, du pain ou de la farine de maïs, et du hareng. En même temps que son petit déjeuner, il prenait une première série de médicaments à base de plantes et pharmaceutiques. Puis il priait à haute voix comme s'il avait une conversation bruyante à sens unique avec Dieu.

Ses prières portaient le plus souvent sur sa maladie – « Seigneur, s'il te semble approprié de me guérir, s'il te plaît, fais-le. Sinon, que ta volonté soit faite » – mais il priait aussi pour moi et mes frères, notre sécurité et notre bien-être. Il priait pour que ma mère qui le soignait en ait la patience et la force. Il demandait à Dieu de la bénir pour les soins qu'elle lui prodiguait. Il priait pour que les prochaines élections présidentielles américaines connaissent une fin heureuse, pour la paix en Haïti et dans le monde en général.

La semaine qui suivit la sortie de l'hôpital de mon père, mon oncle se leva de bonne heure pour prier avec lui. Dormant dans la chambre jouxtant celle de mon père, j'étais souvent réveillée par leurs voix jointes, celle de mon père basse, au souffle court, celle de mon oncle forte, mécanique, mais toutes les deux aussi exigeantes dans leurs demandes.

Parfois, mon père se taisait et c'est mon oncle seul qui lançait des suppliques : « Seigneur, n'abandonne pas ton serviteur maintenant. Il a soixante-neuf ans. Il lui reste encore tellement de choses à vivre. Il aimerait tant se réjouir de toutes les promesses que tu as faites à ceux qui te servent. Il aimerait regarder croître sa progéniture, voir les générations arriver devant lui. Il glorifierait ton nom si tu lui accordais la grâce d'allonger ses jours. Si tu lui permettais de revenir du bord de la vallée de la mort où il se tient maintenant, il aurait un témoignage qui vaudrait celui de nombreux prophètes. »

Après les prières du matin, mon oncle s'asseyait dans un fauteuil pliant à côté du lit de mon père. Pour combler le silence, mon père entamait la conversation en évoquant une personne qu'ils avaient connue tous les deux ou quelque incident auquel ils avaient assisté ensemble.

Un matin, mon père demanda : « Qu'est devenu le Syrien pour qui tu travaillais ? »

Grattant sa pointe de cheveux en V sur le front, mon oncle répondit : « C'est maintenant un des hommes les plus riches de Haïti.

— Et l'Italien pour qui j'ai travaillé ?

— Il est passé de la vente des chaussures à la fabrication. »

Puis, me jetant un coup d'œil, mon père demanda à mon oncle : « Est-ce que tu te souviens que tu m'as écrit une lettre où tu disais qu'un garçon avait battu Edwidge à l'école ? »

Ne me souvenant ni de la rixe ni du garçon, je demandai : « Quand était-ce ?

— Tu devais avoir six ans, dit mon oncle. A l'école primaire.

— J'étais si furieux, dit mon père en se tournant sur le côté dans son lit, que j'ai voulu prendre l'avion tout de suite, tout laisser tomber et revenir chez moi auprès de mes enfants.

— C'est alors que j'ai arrêté de raconter tous les petits incidents qui leur arrivaient », dit mon oncle.

Encore, s'il vous plaît, aurais-je voulu dire. *S'il vous plaît, racontez-moi plus de choses encore. Tous les deux, ensemble, racontez-moi plus de choses encore. Sur vous. Sur moi. Sur nous tous.* Mais mon père se mit à tousser et mon oncle se pencha au-dessus de lui et murmura : « Doucement, Mira. Repose-toi. »

Tous les jours à l'heure du déjeuner, mon père quittait son lit et se risquait en bas où il avait un bureau dans un angle de la salle à manger. Là, il s'asseyait pour trier son courrier et, chaque fois qu'il en avait la force, répondre aux appels téléphoniques. Mon oncle en profitait pour faire la sieste ou une promenade dans le quartier. Mon père s'astreignait à descendre dans le salon chaque fois que ses amis venaient lui rendre visite. Plus tard, les descentes de l'escalier et même les trajets jusqu'aux toilettes devinrent trop difficiles, et il n'eut d'autre choix que de recevoir ses visiteurs au lit.

A cinq heures de l'après-midi, tous les jours, mon père remontait lentement l'escalier. Parfois il s'attardait un peu plus longtemps pour dîner en avance, mais la plupart du temps ma mère lui apportait son repas dans sa chambre vers sept heures. D'habitude, c'était une légère collation, des légumes bouillis ou un simple ragoût. Parfois, cependant, il avait envie d'un poulet frit avec des plantains et Bob ou Karl les achetait au passage dans un restaurant proche avant de venir à la maison l'aider à prendre son bain. Après sa toilette et son dîner, il prenait la dernière série de médicaments de la journée et s'installait ensuite pour passer la soirée devant la télévision.

Au fil des ans, mon père s'était constitué une impressionnante collection de films haïtiens et de vidéos de catch professionnel. Il repassait ses préférées si souvent qu'il en connaissait tous les dialogues. Chaque fois que je lui tenais compagnie devant l'écran, que ce soit pour un film haïtien ou un combat de catch, il me présentait le scénario, oubliant qu'il l'avait déjà fait de nombreuses fois auparavant.

Mon oncle avait droit au même traitement chaque fois qu'il venait s'asseoir à côté de lui le soir. Lui qui ne restait jamais plus de quelques minutes devant la télévision pour les nouvelles du soir, s'efforçait sans grand succès de feindre de l'intérêt, mais finissait par s'en aller avec une grimace de désapprobation alors que mon père demeurait plongé dans le spectacle.

Début septembre, mon oncle se mit à préparer ses valises. L'école commençait en Haïti et il lui fallait retrouver ses élèves et son église.

Un soir, alors que mon père s'était endormi, mon oncle demanda à me parler seul dans la chambre d'ami où il dormait. Il portait un maillot de corps sans manches et quand il élevait sa boîte vocale à son cou, je voyais le trou de sa trachéotomie vibrer à chaque respiration.

« J'ai pensé à quelque chose à propos de ton père, me dit-il. Je connais un médecin en Haïti. Il dirige un sanatorium national. Je crois qu'il pourrait nous aider. »

Me souvenant du sanatorium national, perché au sommet de sa montagne, comme d'un endroit où les gens, la cousine de Liline, Melina, par exemple, étaient fréquemment exilés avant de mourir, je répondis sur la défensive : « Papa n'a pas la tuberculose.

— Je sais, me répondit-il. Mais ce docteur a eu affaire à toutes sortes de maladies pulmonaires. Il peut aider. J'en ai déjà parlé à ton père. Il ne peut pas partir maintenant. Avec l'oxygène, c'est trop difficile. Je pense que tu pourrais peut-être payer le billet d'avion et un hôtel pour faire venir le docteur qui l'examinerait ici. »

Mon père ne voulut pas en entendre parler.

« Je ne peux pas faire venir ce médecin ici », me dit mon père le lendemain. Bien qu'il parût touché par la suggestion de mon oncle, il comprenait aussi la futilité de la démarche. « Ce serait une perte de temps et d'argent. »

Le matin de son départ, mon oncle s'arrêta plusieurs fois dans l'étroit couloir entre sa chambre et le lit de mon père. Le visage appuyé sur le lambris, il pleurait. Avant d'entrer dans la chambre de mon père, il tira un mouchoir de la poche de sa chemise et s'essuya les yeux.

Ce matin-là, mon oncle pria au chevet de mon père plus longtemps que jamais. Mon père ferma les yeux et écouta tranquillement, en faisant de temps en temps chorus par des « Oui. Merci ».

« Seigneur, dit mon oncle. Tu connais déjà notre vœu le plus cher. Tu sais combien nous aimerions voir ton serviteur se lever de son lit, vivre et travailler encore parmi ceux qui se portent bien. Tu sais que même les anges entendraient nos cris de joie si ses souffrances devaient disparaître. Tu sais quelle sagesse il gagnerait, quelle large vision des choses il aurait à partager avec d'autres pour qui la vie va de soi. »

Mon oncle baissa la main qui ne tenait pas la boîte vocale et la posa sur le front de mon père. Puis il récita le Notre-Père, en m'encourageant à me joindre à lui d'un mouvement de tête.

« Alors, tu t'en vas ? » lui dit mon père quand la prière fut terminée.

Peut-être aurais-je dû convaincre mon oncle de rester. Peut-être cela aurait-il été utile, aurait fait du bien à mon père, les aurait aidés tous les deux.

« Je dois partir, dit mon oncle.

— D'accord, dit mon père, mais n'effraie pas les autres en Haïti. Ne leur parle pas de l'hôpital et de l'oxygène. Ne leur fais pas croire que je suis sur mon lit de mort.

— Je ne ferai rien de tout cela », promit mon oncle. Puis caressant le visage de mon père, arrondi par la prednisone, il ajouta : « Je continuerai à prier pour toi. »

Un silence plana au-dessus d'eux, juste le temps

qu'il me fallut pour me rendre compte que s'il restait une minute de plus, Oncle Joseph allait rater son avion. Le silence fut rompu par le plus jeune de mes oncles, Franck, qui habitait à Brooklyn, près de chez mon père, et qui klaxonnait en bas dans la rue.

« Mon frère, je m'en vais, mais je te quitte le cœur gros, dit Oncle Joseph. Vraiment. »

Tendant la main pour serrer celle de mon oncle, mon père dit : « Je sais.

— Je ne sais pas si ou quand nous nous reverrons, dit mon oncle.

— Dieu le sait », répondit mon père.

C'est alors que mon oncle s'est frappé le front comme il le faisait quand il se souvenait de quelque chose qui lui avait échappé auparavant.

« Je dois aller à Miami en octobre visiter plusieurs églises, dit-il. Je pousserai jusqu'ici pour te voir. »

Mon oncle visa le front de mon père, mais s'y prenant mal, sa bouche arriva sur l'arête du nez. Il n'arrêta pas son geste et y déposa un doux baiser, comme un adulte embrassant un enfant malade, en partie par amour, mais surtout par peur.

« Sois gentille, raccompagne ton oncle », me dit mon père pour éviter, j'en suis certaine maintenant, que je le voie pleurer.

Je suivis Oncle Joseph dans l'escalier jusqu'à la porte de la voiture de Franck. Ce matin-là, l'inclinaison de son corps me parut légèrement plus prononcée.

« Tu sais que nous ne pouvons pas rester ensemble tout le temps », dit-il.

Sachant combien mon père non seulement le re-
gretterait, mais se ferait du souci pour lui, je restai
dans la rue bordée d'arbres et attendis que la voiture
ait tourné au coin et disparaisse de ma vue.

A la mi-octobre, mon mari et moi apprîmes le sexe
de notre enfant de notre sage-femme, Colleen, à la
maternité de Miami où nous avions choisi d'avoir
notre bébé. Me fondant sur la vitesse à laquelle mon
ventre avait grossi en quelques semaines, j'étais certaine que je portais des jumeaux, alors que mon mari
était persuadé que c'était un garçon. Aussi durant
l'échographie, plutôt que de nous émerveiller devant
la bulle en forme de croissant qu'était notre fille,
mon mari cherchait un pénis et moi un frère ou une
sœur.

Le sexe de ma fille, cependant, ne fut pas le sujet
dont nous avons le plus débattu cet après-midi-là.
Colleen nous fit remarquer que j'avais un placenta
assez bas, ce qui peut généralement se corriger tout
seul, mais pouvait rendre l'accouchement plus délicat
si la position demeurait inchangée. Statistiquement,
trois cas semblables sur quatre se résolvaient d'eux-
mêmes, nous dit-elle, et le placenta se déplaçait vers le
haut au cours de la grossesse. Néanmoins c'était un
point qu'il convenait de surveiller.

« A tout prendre, mieux vaut ce problème-là qu'un
autre, ajouta Colleen d'une voix douce, réconfor-
tante. Ce n'est pas très important. »

Je m'inquiétais malgré tout, imaginant que j'avais

justement l'un de ces placentas qui refusaient de bouger. J'appelai mes parents pour leur en parler.

« Ne t'en fais pas, me dit ma mère. Le corps sait ce qu'il fait. »

Même si, selon toute apparence, ce n'était pas le cas pour mon père.

« Tu es exactement comme nous, ajouta mon père, sans prêter aucune attention à l'histoire du placenta. Ta mère et moi avons eu notre fille en premier. Il faudra que tu continues avec trois garçons.

— Il n'en est pas question, dis-je. Je crois que je m'arrêterai avec celle-ci.

— Dieu ne nous a pas fait avec un seul œil, rétorqua-t-il. Tu ne veux pas être le parent d'un enfant unique ? »

Mon père passait une bonne journée. La nuit précédente, il avait dormi plus de six heures et, le matin, avait eu des quintes de toux moins fortes que d'habitude. Je savais toujours s'il était dans un bon jour parce que notre conversation ne se cantonnait pas à sa santé et à ma grossesse, mais dérivait lentement vers des sujets plus larges, le plus souvent des nouvelles de Haïti dont il avait entendu parler à la radio ou à la télévision.

Cette nuit-là nous avons parlé du cyclone Jeanne qui avait frappé Les Gonaïves, la quatrième ville de Haïti, la semaine où Oncle Joseph avait quitté New York. Jeanne avait contraint plus de deux cent cinquante mille personnes à quitter leur domicile et causé la mort de cinq mille autres.

Pendant sa maladie, chaque fois que mon père soulevait la question des morts liées aux événements rapportés par la presse, comme le cyclone Jeanne, je tentais de l'orienter vers d'autres sujets. Sachant qu'il pensait souvent, si ce n'est tout le temps, à sa propre mort, je craignais que ces autres morts ne le démoralisent plus encore.

Réfléchissant toujours au cyclone Jeanne, mon père dit : « Les Gonaïves sont encore sous l'eau. J'ai vu les photos. Dans un des hôpitaux, des patients sont morts noyés dans leur lit. Des enfants ont été emportés par les eaux. » Sa respiration sifflante l'aurait fait prendre pour un témoin paniqué. Il avait vu les images si souvent qu'il avait rêvé y être.

Ces rêves l'amenaient-ils à être reconnaissant de mourir ainsi, chez lui ? Ou peut-être enviait-il aux autres ce naufrage mutuel, cette disparition collective ? Mais la mort, quelles qu'en soient les circonstances, quel qu'en soit l'endroit, n'est-elle pas toujours solitaire ?

« J'ai essayé d'appeler Oncle Joseph en Haïti cette semaine, dit-il. Mais son téléphone ne marche pas. »

Moi aussi, j'avais en vain tenté de joindre mon oncle. Cependant, il n'était pas exceptionnel que son téléphone soit hors service pendant plusieurs semaines, voire plusieurs mois.

La dernière fois que mon père avait parlé à Oncle Joseph, sept jours plus tôt, celui-ci l'avait appelé pour lui donner le numéro de téléphone à Port-au-Prince du médecin qui dirigeait le sanatorium.

Mon père se rappelait qu'Oncle Joseph lui avait dit : « Ça ne peut pas faire de mal de lui parler. »

« Je suis inquiet, ajouta maintenant mon père. Il a appelé presque tous les deux jours depuis son départ pour me demander comment j'allais. Et maintenant voilà sept jours que je n'ai aucune nouvelle de lui.

— Je suis sûre qu'il va bien, dis-je. Autrement nous aurions su quelque chose. »

Le cyclone Jeanne avait causé relativement peu de dégâts à Bel Air. Mais c'est un autre genre de tempête qui se préparait là-bas. Après le 30 septembre 2004, treize ans depuis que le président Jean-Bertrand Aristide avait été chassé du pouvoir une première fois et six mois depuis la seconde fois, les manifestations devinrent des événements quotidiens à Bel Air. Elles commençaient généralement sur la petite place devant Notre-Dame du Perpétuel Secours, une église catholique en ruine criblée d'impacts de balles dans la rue sur laquelle donnaient le logement et l'église de mon oncle. Après la deuxième éviction d'Aristide, en février 2004, le conseil de sécurité des Nations unies avait adopté la résolution 1542 qui avait établi, sous commandement brésilien, la Mission des Nations unies pour la stabilisation en Haïti, la MINUSTAH. Plus de quatre-vingts personnes avaient été tuées lorsque la police nationale haïtienne, agissant en collaboration avec les soldats de la MINUSTAH, avait affronté les bandes du quartier au cours des manifestations. Des corps décapités, dont ceux de deux policiers, avaient été retrouvés en différents endroits de la capitale.

Ce soir-là, je lus des articles de journaux relatant

ces événements et cherchai sur Internet des images de
Bel Air. Au-dessus d'un nuage de fumée s'élevant
d'un pneu en flammes, je vis le portail couleur lie de
vin de l'église de mon oncle. Je zoomai et tournai la
photo autant qu'il me fut possible dans l'espoir de
trouver le clocher métallique de l'église ou l'étroit
escalier qui menait aux salles de classe du rez-de-
chaussée. Ou le couloir de la cour duquel on peut
voir, plus haut, la fenêtre de la salle à manger de mon
oncle dans son cadre de fer forgé. Et non loin de là,
les stores de l'appartement du troisième étage, récemment ajouté, où habitait Maxo avec sa seconde
femme, Josiane, et ses cinq jeunes enfants, tous nés
depuis son retour en Haïti en 1995.

Le lendemain, j'appelai mon oncle Franck à Brooklyn pour savoir s'il avait eu des nouvelles d'Oncle
Joseph. Il avait le numéro de téléphone d'un des
voisins d'Oncle Joseph, ainsi que celui d'une des
cousines de Tante Denise, Man Jou, mais il évitait de
le joindre en utilisant ces numéros. A cause des manifestations, de l'activité des bandes armées et des risques
de se faire décapiter, Oncle Franck me rappela que
chaque fois qu'Oncle Joseph quittait sa maison pour
répondre à un appel téléphonique, et même lorsqu'il
ne sortait pas de chez lui, il mettait sa vie en danger.

Battre les ténèbres

Le dimanche 24 octobre 2004, presque deux mois après avoir quitté New York, Oncle Joseph se réveilla au son d'une fusillade. Les coups de feu provenaient d'armes de poing, de fusils automatiques, dont les rafales faisaient un bruit de fusée. Il s'agissait de la troisième opération militaire de la sorte à Bel Air en quelques semaines, mais les tirs n'avaient jamais résonné si près ni si fort. En regardant le réveil sur sa table de chevet, il fut étonné de l'heure car il lui semblait que la lumière à l'extérieur était plus forte qu'elle n'aurait dû l'être à quatre heures et demie un dimanche matin.

Pendant les quelques minutes prises pour se remettre en position de tir et recharger les armes, on entendait des pierres et des bouteilles s'écraser sur les toits voisins. Profitant de cette brève accalmie, il se glissa hors de son lit, sortit à pas feutrés de sa chambre et se dirigea sous l'escalier vers un trou lui permettant de regarder dehors. A l'arrêt devant les portes de l'église se tenait un transport de troupes blindé, un char d'assaut équipé de mitrailleuses. Le tank avait l'insigne circulaire familier, bleu et blanc, des forces de maintien de la paix des Nations unies et les lettres UN peintes sur le flanc. En observant les allées jonchées de détritus qui entouraient le bâtiment, il pensa pour la première fois depuis qu'il avait perdu Tante Denise qu'il était heureux qu'elle ne soit plus en vie. Elle n'aurait pas survécu au bruit des salves qui l'avaient réveillé en sursaut. Comme Marie Micheline, elle aussi aurait pu mourir de frayeur.

Il entendit des voix étouffées venant de la salle de séjour au-dessous, aussi il se saisit de sa boîte vocale et descendit l'escalier sur la pointe des pieds. En bas, il trouva Josiane et ses petits-enfants, Maxime, Nozial, Denise, Gabrielle et le plus jeune, à qui on avait donné son prénom, Joseph. Léone, venue de Léogâne leur rendre visite, était accompagnée de ses frères, Bosi et Georges.

« Ki jan nou ye ? demanda mon oncle. Comment allez-vous tous ?

— MINUSTAH plis ampil police », tenta d'expliquer Léone en tremblant.

Comme mon oncle, Léone avait passé toute sa vie à voir le bras armé de l'autorité en action, que ce soit les Marines américains qui occupaient le pays au moment de sa naissance ou cette armée haïtienne aux méthodes brutales qu'ils avaient entraînée et laissée en partant pour soutenir, puis renverser, les gouvernements fantoches de leur choix. Et lorsque les gouvernements tombaient, les troupes des Nations unies, les soi-disant soldats de la paix, arrivaient enfin et tentaient, même au prix de vies innocentes, de restaurer l'ordre.

Agissant sous les ordres du gouvernement provisoire qui avait remplacé Aristide, environ trois cents soldats des Nations unies et membres de la police haïtienne antiémeute étaient venus ce dimanche en une opération conjointe pour éliminer les bandes les plus violentes de Bel Air. Arrivés à trois heures et demie du matin, les soldats des Nations unies avaient envahi le quartier en écrasant les barricades improvisées avec des bulldozers. Ils avaient abattu les murs à l'angle des immeubles qui auraient pu être utilisés pour protéger des tireurs isolés, avaient enlevé les voitures carbonisées qui bloquaient la circulation depuis des semaines et arrêté plusieurs hommes du quartier.

« C'est un nettoyage des rues, dira plus tard à l'Associated Press Daniel Moskaluk, porte-parole des soldats des Nations unies venus former la police haïtienne, afin de retrouver une circulation normale dans la zone, ou aussi normale qu'il est possible pour ces gens. »

Avant que mon oncle ait pu saisir l'ampleur de la situation, la fusillade reprit avec plus d'intensité encore. Il réunit tout le monde dans l'angle de la salle de séjour le plus éloigné de la rue Tirremasse, d'où venaient les tirs les plus nourris. Tapi à côté de ses petits-enfants, il se demandait ce qu'il ferait s'ils étaient atteints par des balles perdues. Comment pourrait-il les emmener dans un hôpital?

Ils restèrent une heure blottis derrière le canapé de la salle de séjour. Il y eut une autre accalmie, mais on continuait à jeter des bouteilles et des pierres. Il perçut un bruit qu'il n'avait pas entendu depuis quelque temps : des gens frappaient sur des casseroles et des marmites et ce vacarme résonnait dans tout le quartier. Ce n'était pas la première fois qu'il entendait ce tintamarre. Faire ce genre de raffut concerté était appelé bat tenèb, battre les ténèbres. Ses voisins, dont la plupart sont morts aujourd'hui, avaient tenté de battre les ténèbres lorsque Fignolé avait été renversé plusieurs dizaines d'années auparavant. Une nouvelle génération avait essayé de nouveau lors des deux épisodes où Aristide avait été chassé du pouvoir. Mon oncle s'efforçait d'imaginer chaque chahut comme un cri de protestation, un appel à la paix lancé à la police haïtienne antigang, aux soldats des Nations unies qui étaient censés les protéger. Mais le plus souvent, tout laissait à penser qu'ils les attaquaient en poursuivant les chimères, comme on appelait les membres des bandes violentes.

Le vacarme causé par ces coups portés sur des objets métalliques l'emportait sur le bruit des pierres tombant sur les toits. Ou peut-être voyait-il les choses ainsi parce qu'il était réconforté par le bat tenèb. Peut-être n'allait-il pas mourir aujourd'hui après tout. Peut-être que personne d'entre eux ne mourrait, parce que leurs voisins faisaient savoir qu'ils étaient là, demandant la paix de tous côtés, autant aux bandes armées qu'aux autorités.

Il se leva et alla prudemment jeter un coup d'œil furtif par une des fenêtres de la salle de séjour. Il y avait maintenant deux tanks des Nations unies stationnés devant l'église. Pensant qu'ils seraient plus à l'abri dans sa chambre, il demanda à tous de monter avec lui au premier étage.

Maxo avait fait le tour de l'enclos de l'église à sa recherche. Ils se retrouvèrent dans la chambre de mon oncle. L'accalmie dura suffisamment longtemps pour que tous deux jugent que les tirs avaient cessé pour de bon. Soulagé, mon oncle prit une douche et s'habilla, avec costume et cravate comme il le faisait un dimanche matin sur deux avant de se rendre à l'église.

Maxo s'aventura dehors pour examiner la situation. Un calme étrange l'accueillit au portail. Les chars avaient reculé de quelques mètres, chacun d'eux bloquant une des ruelles reliant la rue Tirremasse à la rue Saint-Martin qui lui était parallèle. Maxo avait pensé qu'il pourrait balayer les pierres, les tessons de bouteille et les étuis des cartouches qui étaient tombés devant l'église, mais finalement il décida de n'en rien faire.

Une autre heure se passa sans le moindre coup de feu. Quelques fidèles arrivèrent pour l'office normal du dimanche matin.

« Je pense que nous devrions annuler l'office aujourd'hui, dit Maxo à son père quand ils se retrouvèrent au portail.

— Et que faire des gens qui sont ici ? demanda mon oncle. Comment peut-on les renvoyer chez eux ? Si nous n'ouvrons pas, nous montrons notre manque de foi. Nous montrons que nous n'avons pas assez confiance dans la protection de Dieu. »

A neuf heures, ils ouvrirent les portes de l'église à une douzaine de paroissiens. Ils décidèrent cependant de ne pas utiliser les micros et les haut-parleurs qui permettaient d'habitude de faire entendre l'office dans la rue.

Le service était commencé depuis une demi-heure lorsqu'une nouvelle série de coups de feu se fit entendre. Mon oncle descendit de l'autel et alla se blottir avec Maxo et d'autres sous une rangée de bancs. Cette fois-ci, la fusillade dura environ vingt minutes. Lorsqu'il leva les yeux de nouveau vers l'horloge, il était dix heures du matin. Seul le bruit de quelques salves sporadiques retentissait encore au moment où une douzaine de policiers haïtiens du Corps d'intervention et de maintien de l'ordre, le CIMO, firent irruption dans l'église. Ils étaient habillés de noir, y compris leurs casques et leurs gilets pare-balles, et portaient des fusils d'assaut automatiques ainsi que des armes de poing que plusieurs d'entre eux dirigeaient vers les fidèles. Leur visage était couvert d'une cagoule noire qui ne laissait visible que les yeux, le nez et la bouche.

Les paroissiens tremblaient sur les bancs. Certains se mirent à sangloter de peur lorsque les policiers les entourèrent. Le chef du groupe du CIMO abaissa son arme et tenta de les calmer.

« Pourquoi avez-vous peur ? » cria-t-il. Sa bouche paraissait flotter au milieu de son visage noir. Il fit une pause sans cesser d'afficher un sourire nerveux.

« Si vous croyez vraiment en Dieu, poursuivit-il, vous ne devriez pas avoir peur. »

Mon oncle ne savait pas s'il se moquait d'eux ou voulait les rassurer, s'il leur disait que tout allait bien pour eux ou qu'ils pouvaient se préparer pour l'exécution.

« Nous sommes ici pour vous aider, dit le chef, pour vous protéger des chimères. »

Personne ne bougeait ni ne parlait.

« Qui est le responsable, ici ? » demanda l'officier.

Quelqu'un montra mon oncle d'un geste de la main.

« Est-ce qu'il y a des chimères ici ? » cria le policier à l'adresse de mon oncle.

Des membres des bandes dans son église ? Mon oncle ne voulait pas imaginer qu'il y en ait. Mais il jeta alors un regard à tous ces visages inconnus sur les bancs, à tous ces hommes et ces femmes venus chercher refuge pour s'abriter des balles. Ils pouvaient être chimères, gangsters, bandits, tueurs, mais plus probablement ce n'étaient que des gens ordinaires qui tentaient de rester en vie.

« Est-ce que vous allez me répondre ? demanda le policier en chef d'une voix sévère.

— C'est un bèbè », cria une des femmes de l'église. Elle essayait d'aider mon oncle. « Il ne peut pas parler. »

Frustré, le policier fit signe à ses hommes de diviser les fidèles en plusieurs groupes.

« Qui est celui-ci ? » demandèrent-ils au hasard en utilisant leurs armes pour indiquer la personne désignée. « Qui est celui-là ? »

Comme personne ne répondait, le chef fit signe à ses hommes de sortir. Alors qu'ils s'en allaient, mon oncle vit un autre groupe de policiers monter l'escalier extérieur qui menait vers les étages supérieurs de l'immeuble. Puis il entendit un autre tir de barrage d'armes automatique. Le bruit, cette fois-ci, venait d'au-dessus de lui, du toit du bâtiment.

La fusillade dura une autre demi-heure. Puis un silence inquiétant suivit, le silence de gens que la peur a rendus muets, qui se déplient lentement de leurs caches, époussettent doucement leurs épaules et leurs fesses, craignant de respirer trop fort. Puis, la police antiémeute et les soldats de l'ONU, qui travaillaient souvent ensemble pour ce genre d'opérations, descendirent les escaliers en une cavalcade organisée et disparurent dans la rue.

Quelques instants plus tard, mon oncle s'avança jusqu'au portail de l'église et regarda dehors. Les tanks s'éloignaient. Suivant la piste des coups de feu sporadiques, ils tournèrent au coin vers la rue Saint-Martin, mais revinrent dans l'autre direction. Un char continua sa surveillance dans la rue Tirremasse jusqu'en fin d'après-midi. A l'approche du crépuscule, il disparut à son tour avec les policiers au poste de commandement improvisé de Notre-Dame du Perpétuel Secours plus bas dans la rue.

Dès que les forces armées se retirèrent, des hurlements commencèrent à se faire entendre. Ceux dont le corps avait été transpercé ou déchiré par les balles criaient à pleins poumons, appelant à l'aide. D'autres pleuraient la perte d'un être cher. Amwe, ils ont tué mon fils. Au secours, ils ont blessé ma fille. Mon père est en train de mourir. Mon bébé est mort. Mon oncle prenait des notes de ce qu'il entendait dans l'un des petits calepins qui ne quittaient pas la poche de sa chemise. Garder une trace des choses était redevenu pour lui une obsession. Un jour, je le savais, il espérait rassembler ses notes, s'asseoir et écrire un livre.

Il y avait tant de hurlements que mon oncle ne savait pas vers où se tourner. Qui devait-il essayer de voir en premier? Il vit des gens sortir de leur maison en trébuchant, couverts de poussière, en sang.

« Voilà le traître, s'écria un homme en le montrant du doigt. Le salaud qui les a laissés monter sur son toit pour nous tuer.

— Tu n'en as plus pour longtemps parmi nous, lança un autre. Tu as reçu de l'argent pour le prix de notre sang. »

Toute la semaine, des appels avaient été lancés sur plusieurs stations de radio demandant aux habitants de Bel Air et d'autres zones de la ville où la situation était explosive d'appeler la police s'ils voyaient des bandes se réunir dans leur quartier.

La rumeur courait qu'une récompense de cent mille dollars haïtiens – l'équivalent d'environ quinze mille dollars américains – avait été offerte pour la capture des chefs de bande du quartier. Des voisins de mon oncle croyaient à tort que c'était contre une partie de cet argent qu'il avait laissé l'accès à son toit.

Deux jeunes hommes en sueur, l'air furieux, traînaient chacun un cadavre couvert de sang par les bras. Ils se dirigeaient vers mon oncle.

Il recula et gagna les ombrages plus sûrs de la cour de l'église. Anne, une ancienne élève de son école, le suivit.

« Pasteur, murmura-t-elle, ma tante m'a envoyée vous dire quelque chose. »

La tante d'Anne, Ferna, qui avait alors trente-sept ans, le même âge que Marie Micheline lorsqu'elle est morte, se souvenait-il, était née dans le quartier. Mon oncle connaissait Ferna et Anne depuis leur naissance.

« Que se passe-t-il ? demanda mon oncle.

— Ne parlez pas, répondit Anne. Les gens peuvent entendre votre machine. »

Mon oncle retira sa boîte vocale de son cou et lui fit signe de continuer.

« Pasteur, dit Anne, ma tante a entendu dire que quinze personnes avaient été tuées quand ils ont tiré du haut de votre toit et les voisins disent qu'ils vont vous apporter les cadavres pour que vous payiez leur enterrement. Si vous ne payez ni pour eux ni pour ceux qui sont blessés et doivent aller à l'hôpital, ils disent qu'ils vont vous tuer et vous décapiter si bien qu'on ne vous reconnaîtra même plus à votre enterrement. »

Mon oncle baissa le volume de sa boîte vocale et se pencha à l'oreille d'Anne.

« Dites à Ferna de ne pas s'inquiéter, dit-il. Dieu est avec moi. »

Comme il allait partir pour Miami dans quelques jours pour visiter plusieurs églises – il en avait parlé à mon père –, il avait huit cents dollars sur lui qu'il avait prévu de laisser à son départ pour le salaire des enseignants. Aussi lorsque ses voisins se réunirent en foule dans la cour en lui parlant de leurs proches blessés ou morts, il leur donna cet argent. De nombreux spectateurs ayant été visés par les tirs comme il aurait pu l'être dans les murs de sa maison, de son église, ils comprirent que ce n'était pas sa faute. Avant que la nuit tombe et que les frères de Tante Denise le prient avec insistance de rentrer afin de pouvoir fermer les portes et le portail, les deux cadavres avaient été traînés et allongés devant l'église. Cet après-midi, à la radio, le gouvernement rapporta que seules deux personnes étaient mortes durant l'opération. A l'évidence, il y en avait beaucoup plus.

Ce soir-là, quand il fit nuit noire, tout le monde se réunit dans la chambre de mon oncle. Lui et les enfants s'entassèrent sur le lit, tandis que Maxo et sa femme, Josiane, Léone et ses frères s'allongèrent sur des couvertures au sol. Pour éviter d'être vus, ils restèrent dans le noir, sans même allumer une bougie.

Ils pouvaient maintenant entendre une autre sorte de fusillade, plus familière celle-ci, non pas l'extrême puissance de feu des forces spéciales haïtiennes et des soldats de Nations unies, mais un type de munitions au son plus atténué venant des armes de poing et des fusils que possédaient les membres des gangs. De temps en temps, quelques coups de feu atteignaient l'église et une voix lançait : « Pasteur, tu ne t'en sortiras pas. On va te faire payer. »

En utilisant un téléphone portable à carte dont le crédit s'épuisait rapidement, Maxo essaya à plusieurs reprises d'appeler le numéro d'urgence de la police et des Nations unies, mais en vain. Il voulait leur dire que leur opération les avait condamnés, vraisemblablement à mort. Il voulait leur dire d'envoyer la cavalerie et de venir les sauver, mais se rendit vite compte que lui et sa famille étaient seuls.

Un moment, ils entendirent des bruits de pas, le choc lourd de bottes sur l'étroite margelle au-dessus de la fenêtre de la chambre de mon oncle. Maxo serra plus fort la poignée de la machette qu'il conservait sous son oreiller, comme son père le faisait dans sa jeunesse. On traînait quelque chose de lourd au-dessus d'eux, peut-être le groupe électrogène qui fournissait la plupart de leur courant électrique.

Tout redevint calme. Mon oncle attendait que les enfants s'endorment avant de discuter avec les adultes de la stratégie à adopter.

« Ils en veulent surtout à moi, dit-il. Ils sont furieux parce qu'ils croient que j'ai demandé à la police antiémeute et aux Nations unies de monter sur notre toit. Tous ceux qui sont venus ce soir m'ont dit : "Pourquoi les avez-vous laissés entrer ?" comme si j'avais eu le choix.

« Maxo, ordonna-t-il, avec autant d'autorité que le lui permettait sa voix mécanisée, emmène ta femme et tes enfants à Léogâne chez ta tante et tes oncles. Si tu t'en vas à quatre heures du matin, tu pourras prendre un des premiers camions en partance pour Léogâne.

— Je ne vais pas t'abandonner, dit Maxo.

— Il le faut », insista mon oncle. Il voulait dresser un tableau de la situation si sombre qu'il forcerait Maxo à partir, non pas pour qu'il sauve sa vie à lui, mais surtout celle de ses enfants. Aussi employa-t-il une image venue de son enfance, celle de craintes que de nombreux parents, dont les siens, nourrissaient pour leurs enfants pendant l'occupation américaine.

« Ils nous en veulent, dit-il à Maxo. Et s'ils passaient les enfants à la baïonnette, là devant nous ? Est-ce que c'est ça que tu veux voir, tes enfants dont on arracherait les membres un par un devant toi ? »

Maxo faisait le tour de la pièce, dans un sens puis dans l'autre, en réfléchissant.

« D'accord, dit-il enfin. Je vais m'assurer que les enfants partent en toute sécurité, puis je reviendrai pour toi. Tu m'appelles sur mon portable dès que tu peux et nous allons chez Tante Zi à Delmas.

— Tu devrais venir avec nous », insista Léone.

Je ne saurai jamais si mon oncle pensait être trop vieux ou trop connu de ses voisins, qui comptaient parmi eux des membres des bandes armées, pour qu'on lui fasse du mal d'une façon ou d'une autre, mais il réussit à les persuader tous de partir. Aussi quand le soleil se leva le lendemain matin, il se retrouva seul dans son enclos criblé d'impacts de balles.

L'enfer

Granmé Melina aimait raconter une histoire sur un homme qui s'endormit un jour et se réveilla dans un pays étranger où il ne connaissait personne et où personne ne le connaissait. Se retrouvant couché sur le dos sur une route de terre pleine d'étrangers, il regarda les visages indistincts qui l'entouraient, encadrés par un lugubre ciel gris, et demanda : « Où suis-je ? »

— Vous êtes là où vous êtes, répondit une voix tonitruante.

— Où est-ce ? demanda-t-il.

— Là où il faut que vous soyez, répondit la voix.

— Je n'ai pas demandé à être ici, dit l'homme, où que ce soit.

— Peu importe la manière dont vous vous êtes retrouvé ici, dit la voix, vous y êtes. »

Fatigué de cette conversation qui tournait en rond, l'homme dit : « Je veux que vous me disiez immédiatement où je suis. Si vous ne me le dites pas, je vais me fâcher.

— Tout le monde se fiche de votre colère, répondit la voix. Ici personne n'a peur de vous. »

Vraiment contrarié, l'homme s'écria : « Dites-moi où je suis maintenant!

— Vous êtes en enfer », répondit la voix.

Et comme cette histoire se passait il y a très longtemps, l'homme ne savait pas ce qu'était l'enfer, même s'il se rendait déjà compte que ce n'était pas un endroit où régnait le bonheur.

« Qu'est-ce que l'enfer? demanda-t-il.

— L'enfer, répondit la voix, est tout ce que tu crains le plus. »

Le lendemain lundi, à quatre heures du matin, Maxo, ses enfants, sa tante et ses oncles partirent à contrecœur pour Léogâne. Mon oncle resta seul dans sa chambre et rassembla des papiers, dont son passeport et le billet d'avion pour Miami qu'il avait acheté plusieurs semaines auparavant en vue de visiter des églises haïtiennes implantées là-bas. Il devait partir le vendredi 29 octobre, comme il l'avait dit à mon père.

Le billet d'avion servit de signet pour le Notre-Père dans sa bible. Il allait maintenant quitter la maison, il ne savait pas pour combien de temps, mais il n'avait pas voulu mettre en danger la vie des enfants en sortant en leur compagnie. En outre, il espérait toujours que la situation puisse se résoudre d'une façon ou d'une autre. Il pouvait parler aux dreads, comme on appelait les chefs de ces bandes portant des dreadlocks, et leur expliquer. Après tout, avant d'être appelés dreads ou même chimères, c'étaient de jeunes hommes, de jeunes garçons dont beaucoup avaient passé toute leur vie dans le quartier. Il connaissait leurs mères, pères, sœurs, frères, oncles et tantes. Certains d'entre eux avaient fréquenté son église, son école, avaient pris leurs repas à sa cantine. Beaucoup étaient venus à son église pour les baptêmes, les mariages et les funérailles. Il leur prêtait souvent son groupe électrogène pour des tournois de football et des fêtes de quartier. Il avait même trouvé du travail à ceux qui avaient été expulsés des Etats-Unis en leur faisant donner des cours particuliers d'anglais à ses élèves. Les coups de feu tirés de son toit avaient rompu un frêle équilibre entre eux et lui, mais il était certain que les bons souvenirs que l'un d'eux aurait gardés viendraient effacer l'accusation qu'ils portaient à tort contre lui.

Mais avant de descendre l'escalier, mon oncle retira le costume qu'il portait depuis la veille et s'habilla avec un pantalon marron et une veste grise qu'il mettait parfois pour les longs voyages dans la campagne. Il mit une vieille paire de souliers de cuir qui, comme toutes ses autres chaussures, avaient été réparés et ressemelés de nombreuses fois. Je ne vais nulle part, tel est le message qu'il voulait que ses vêtements transmettent. Et pour l'instant il n'était pas certain lui-même d'aller où que ce soit.

En sortant dans la cour, il entendit une de ses voisines qui sifflait au portail de côté en essayant d'attirer son attention. Il faisait à peine jour, mais les rues étaient déjà pleines, de marchands lançant leurs appels, de fidèles revenant de la messe, d'enfants partant à l'école, de camions et de taxis déposant ou prenant des clients. Sa voisine, Darlie, une grande jeune fille maigrichonne avec de longues nattes qui lui descendaient plus bas que sa ceinture, entra vivement quand il ouvrit le portail qu'elle referma derrière elle.

« Pasteur, murmura-t-elle, la nuit dernière ils ont pris le groupe électrogène de l'église et quand Gigi a essayé de les arrêter, ils l'ont jetée du haut d'une des terrasses.

— O bon dye », s'exclama-t-il sans sa boîte vocale, en se prenant la tête à deux mains. Comment Gigi, une autre voisine pleine de sollicitude, a-t-elle pu s'interposer entre un gang armé et un groupe électrogène ? Et comment se faisait-il que de sa chambre il n'ait pas entendu ses cris ?

« Est-elle encore en vie ? » parvint-il à prononcer. Il savait qu'il lui fallait éviter d'utiliser son larynx artificiel qui aurait attiré l'attention.

« Elle s'est cassé une jambe, poursuivit la voisine. Elle est à l'hôpital. »

Mon oncle mit sa main dans la poche de son pantalon où il avait mis son passeport et son billet d'avion et dans la poche de sa veste où il glissait souvent sa bible, espérant y trouver quelques dollars. Tout son argent avait disparu.

« Mais ce n'est pas ce que je suis venue vous dire. Pasteur, il faut que vous partiez tout de suite. Ils arrivent. Partez vite. Ils arrivent. »

Elle souleva le loquet de la porte et sortit furtivement. Mon oncle essayait de la fermer derrière elle

quand une grosse main d'homme vint repousser ses
doigts et se saisir du loquet métallique. Un jeune de
petite taille et bien en chair, la tête ceinte d'un drapeau haïtien, entra d'un pas vif dans la cour. Son
visage était marqué de cicatrices paraissant dues à des
coups de rasoir. Il était suivi d'un autre homme, celui-
là plus grand, plus mince, avec une fine barbe clairse-
mée et une casquette blanche en filet retenant ses
longues dreadlocks. Un homme chauve entra ensuite.
Ce dernier ouvrit le portail en grand pour permettre à
quelques autres de pénétrer dans la cour. Puis arriva
un second groupe, et bientôt un troisième, le tout
formant en un instant une foule indistincte de visages
furieux. Il comprit soudain comment fonctionnait
véritablement une masse en colère, la fureur de l'un
fusionnant avec celle d'un autre jusqu'au moment où
chacun ne devenait plus qu'un des membres d'un
unique monstre enragé.

La cour fut bientôt pleine de jeunes hommes. Et
lorsqu'il leva les yeux vers les balcons et les terrasses, il
vit que d'autres y avaient pris place en nombre.

« Pasteur, cria le chef des dreads d'une voix forcée
et rauque. A cause de vous, nous avons perdu quinze
gars hier et six autres ont été blessés par balle. C'est
vous qui avez laissé entrer ces salauds et c'est donc à
vous de payer ou on vous coupe la tête. »

Le chef des dreads cita en particulier le cas de deux
jeunes hommes que mon oncle connaissait, qui
n'avaient pas encore vingt ans. Pendant le raid, une
balle avait fracturé les côtes de l'un. L'autre avait été

touché à l'estomac. Leurs familles avaient peur de les envoyer à l'hôpital public, ajouta le chef des dreads, parce que, présumant qu'ils étaient tous des criminels, la police abattait de façon systématique tous les jeunes blessés par balle. Ils avaient besoin d'argent pour trouver un médecin pour ces hommes et d'autres, un médecin qui viendrait les voir.

La somme qu'on lui demandait de payer était trop élevée pour qu'on puisse même s'en souvenir. Elle aurait pu aussi bien être d'un milliard de dollars. Dans l'espoir de pouvoir négocier, de les ramener à la raison, mon oncle tendit la main et essaya de la poser sur le bras musclé du chef. Le dread repoussa la main avec une telle force que mon oncle faillit perdre l'équilibre. En reprenant son aplomb, il porta sa boîte vocale à son cou et dit : « Tande. »

D'un geste, le chef des dreads demanda le silence à la foule de plus en plus dense.

« J'ai besoin de temps, poursuivit mon oncle. J'ai besoin de donner plusieurs coups de téléphone. J'ai besoin d'entrer en contact avec ma famille à New York. J'ai besoin de leur demander de m'envoyer de l'argent. Mon téléphone ne marche pas. Il faut que je trouve un téléphone. Revenez cet après-midi, à une heure, et j'aurai quelque chose pour vous. »

Le chef des dreads jeta un coup d'œil circulaire à ceux qui l'entouraient, puis à ceux qui s'étaient amassés sur les balcons de la salle de classe pour s'assurer de leur approbation. Il leva ensuite ses grosses mains en l'air et comme Moïse fendant les flots de la

mer Rouge, leur fit signe de se disperser. Mais ils ne
partirent pas bien loin. Se divisant en petits groupes,
ils se ruèrent dans les salles de classe et firent main
basse sur tout ce qu'ils purent trouver, tableaux noirs,
bancs. Certains enlevèrent les portes de leurs gonds et
les emportèrent. Les chefs dreads se mirent sur le côté,
permettant à d'autres d'entrer dans la cour au moment
même où ils quittaient les lieux.

Mon oncle était encerclé, mais personne ne lui faisait le moindre mal. Tous se dirigeaient plus avant
dans l'enclos, vers son appartement, vers l'église. D'où
il se tenait, prostré dans un coin, près du petit barbecue que la femme de Maxo utilisait parfois pour cuire
leurs repas, il vit plusieurs de ses voisins s'enfuir avec
ses affaires : Nana, une vieille femme boitillant avec sa
canne qui emportait ses assiettes, Danielle, une jeune
fille menue dont la mère lui vendait de l'eau de temps
à autre, alla se joindre à des étrangers passant devant
lui en tenant à la main des vêtements des enfants de
Maxo. Il vit aussi le costume de coton et de Lycra
bleu marine qu'il avait porté aux obsèques de sa
femme, celui dans lequel il voulait être enterré, qui
partait dans les bras d'un jeune garçon. Alors que les
gens couraient en tous sens autour de lui – il vit ainsi
passer le barbecue et son réveil-matin à ressort –, il
n'osa pas gagner l'autre côté de la cour où un panache
de fumée s'élevait de l'église.

Ils brûlent l'autel de l'église, hurla quelqu'un, et
une partie de la direksyon, c'est-à-dire le bureau du
principal de l'école.

La foule se dirigea vers ce nouveau centre d'intérêt, mais il resta sur place, sans bouger. Il voulait aller à l'église, la voir, la défendre, sauver l'autel. Mais que faire si la multitude décidait alors de le réduire en cendres, lui aussi?

Ce qu'il ne pouvait pas voir, c'étaient les bancs et l'autel qu'on tirait au milieu de la rue et auxquels on mettait le feu. La partie de son bureau qui était directement sous l'église était également ravagée par un incendie. Et les douzaines de carnets où il avait noté ses observations sur le quartier, dans ses bons et ses mauvais moments, étaient maintenant éparpillés dans les rues, piétinés, emportés ou brûlés.

La cour était presque vide à présent, l'attention de la foule s'étant concentrée sur l'église. Les quelques personnes qui passaient encore devant lui évitaient ses yeux d'un air honteux. L'un d'entre eux tenait en main une poignée de brosses à dents neuves qu'il conservait dans la table de nuit de sa chambre à l'étage.

Il lui fallait sortir maintenant, quitter le quartier pour de bon. Mais comment franchir les barricades, où, à n'en pas douter, les dreads avaient placé des hommes à eux qui l'attendaient? En se dirigeant vers le portail, il remarqua Anne, la nièce de sa vieille amie Ferna, qui se tenait dans la ruelle et l'observait. S'était-elle tournée contre lui, elle aussi? Et sa tante? Anne lui présenta ses mains vides, lui montrant qu'elle ne portait rien. Elle ne l'avait pas volé.

« Vini », dit-elle. Venez.

Il la suivit sans réfléchir, la laissant le conduire par la main. Sur la pente glissante qui séparait sa maison d'une autre petite cour, il garda la tête basse, le menton aussi près de sa poitrine qu'il lui était possible sans boucher le trou de sa trachéotomie. Il n'osait pas regarder derrière lui en direction de l'église alors qu'une nouvelle vague de pillards le frôla en partant rejoindre les autres déjà sur place. Il était bien tenté de les suivre pour essayer de les arrêter, de leur faire entendre raison. Il pensait à tous ces blessés qui devaient mourir à quelques pas de là. Il pensait à ces mères, ces pères qui se tenaient là, incapables de rien faire d'autre que de regarder. Une fois de plus le pays perdait une génération de jeunes, les uns violents, les autres spectateurs, mais tous dans la ligne de tir, mourants.

La cour où Anne et lui entrèrent donnait sur une série d'étroites ruelles, certaines recouvertes au petit bonheur de béton glissant ou pleines de terre et de boue, d'autres parsemées de flaques d'eau stagnante et sale. Dans ce quartier, le labyrinthe de ruelles de la largeur de couloirs était comme des tunnels qui menaient partout, mais hélas sans quitter le quartier. Le trajet qu'Anne lui faisait suivre ne lui était pas très familier. De nouvelles maisons, de nouvelles cabanes y étaient construites tout le temps, créant de nouveaux cheminements toujours plus étroits. Finalement, elle ouvrit un portail en tôle ondulée, composé de plusieurs morceaux rouillés, et entra.

La cour avait une surface tout juste suffisante pour

une cuvette de WC et un bassin de béton surmonté
d'un robinet rouillé. Sans dire un mot, Ferna, la tante
d'Anne, une belle jeune femme au port altier, lui fit
signe d'entrer dans un intérieur sombre et encombré.
En nage, il avança à tâtons à travers un rideau de
perles jusqu'à un angle entre une petite salle à manger
et le lit de Ferna.

« Pasteur, vous pouvez rester ici jusqu'à ce qu'il
fasse nuit, dit-elle. Puis nous trouverons un endroit où
vous pourrez aller. »

La chaise d'osier qu'elle lui donna était beaucoup
trop basse et son dos lui faisait mal. Il remuait de
temps à autre dans l'espoir de trouver une position
plus confortable. Mais il ne devait pas bouger de là,
insista-t-elle. Au cas où quelqu'un viendrait dans la
maison, il pourrait aisément se glisser sous la table et
rester hors de vue. Tapi là, il entendait les bruits de la
vie quotidienne, une femme qui s'en prenait à sa
bonne qui avait fait brûler le plat du repas de midi, un
père qui maudissait le maître d'école qui avait renvoyé
son fils à la maison, parce qu'il n'avait pas été capable
de payer les frais de scolarité du mois. Au même
moment, il entendit des passants dire : « Tu as entendu qu'ils ont presque tué le pasteur ? »

Il entendit plusieurs versions de l'événement, des
gens qui se précipitaient à l'église pour le spectacle,
dans son appartement pour voir ce qu'ils pourraient
emporter. Toute sa vie n'était plus qu'un objet de
curiosité, l'occasion d'un pillage. Il se réjouissait
cependant de voir que personne ne paraissait savoir

qu'il se cachait là. Certains pensaient qu'il avait été tué. D'autres affirmaient qu'il s'était enfui.

Les gens du quartier changèrent bientôt de sujet et en revinrent aux détails de la vie de tous les jours. Le marchand d'œufs vint réclamer à Ferna l'argent qu'elle lui devait. Une amie s'arrêta pour tresser les nattes d'Anne. Les visiteurs étaient accueillis sur le seuil, mais on ne les laissait pas entrer. Il essaya de réfléchir à l'endroit où il pourrait se réfugier ensuite. Les dreads étaient certainement à sa recherche. Peut-être désiraient-ils uniquement qu'il s'enfuie, qu'il abandonne les lieux pour se les accaparer. Ferna et Anne n'avaient aucune nouvelle. Comme lui, elles ne possédaient ni téléphone fixe ni portable. Elles craignaient même d'allumer la radio de peur que cela n'attire l'attention sur elles. Si elles avaient écouté la radio, elles auraient pu apprendre que la police haïtienne antigang et la MINUSTAH étaient occupées ailleurs, sur un autre théâtre d'opérations proche de Bel Air, le Fort national, non loin du siège des archives du pays, où douze jeunes furent tués au cours des fusillades.

Plus tard, dans l'après-midi, mon oncle parvint à s'endormir. Fort heureusement, il avait toujours été capable de dormir dans n'importe quelle circonstance. Peut-être était-ce parce qu'il était constamment occupé, se levant tôt et se couchant tard. Il aimait aussi marcher, allant parfois jusqu'au bout de ses forces. Quoi qu'il en fût, son corps pouvait toujours s'arrêter de lui-même en le forçant à se reposer.

Lorsqu'il se réveilla, Ferna le secouait. Il sentit sa

respiration sur son visage, mais ne pouvait pas la voir dans le noir.

« Pasteur, dit Ferna d'une voix que l'inquiétude et le sommeil rendaient traînante, il faut que vous partiez maintenant. Il faut que vous vous en alliez.

— Quelle heure est-il ? demanda-t-il en s'assurant que sa boîte vocale soit réglée sur le volume minimum.

— Trois heures et demie », dit-elle. C'était presque à cette heure-là, se souvint-il, que Maxo, sa tante, son oncle et les enfants étaient partis. Où irait-il à présent ? Il pourrait aller à Léogâne et les rejoindre, mais parviendrait-il à franchir les barricades jusqu'à la gare routière ? Il pourrait aussi aller chez Tante Zi, à Delmas, mais n'aurait-il pas le même problème ?

Il n'envisagea qu'une seule solution. Tante Denise avait une cousine qui vivait en bordure du quartier, près des zones où s'élevaient les barricades des bandes. Sa maison était quelque part entre le lycée Pétion et l'église Notre-Dame du Perpétuel Secours, où les chars des Nations unies se rassemblaient souvent. S'ils y parvenaient, ils pourraient attendre un moment propice où les tanks seraient là pour s'échapper du quartier.

« Vous connaissez Man Jou ? » demanda-t-il à Ferna. Elle la connaissait.

« Je vais aller chez elle, dit-il. Elle a un téléphone. De là je peux appeler Maxo. Je ne veux pas qu'il essaie de venir me chercher. Ils pourraient le tuer. »

Il entendit d'autres pas traînants dans le noir, ceux

d'Anne. Elle alluma une petite lampe à kérosène et l'approcha du visage de mon oncle.

« Vous ne pouvez pas y aller avec vos vêtements, lui dit Ferna. Il faut que nous vous déguisions. »

D'une valise ouverte posée aux pieds de mon oncle, Ferna tira une longue perruque noire, bouclée, descendant jusqu'aux épaules, un chapeau de paille à large bord et un long muumuu à fleurs, une robe lâche suffisamment ample pour couvrir les vêtements de mon oncle. Il ne comprenait pas pourquoi elle avait conservé ainsi toutes ces choses dans la valise. Peut-être pensait-elle qu'un jour elle aussi devrait s'enfuir d'ici.

« Il faut que vous vous déguisiez, insista de nouveau Ferna. Il va faire jour bientôt et quelqu'un pourrait vous voir. »

Quel autre choix avait-il ? Il ne pouvait pas se laisser attraper. Il ne pouvait pas se rendre non plus, au risque d'être massacré, de mourir. Alors il laissa Ferna et Anne lui glisser le muumuu sur les épaules par-dessus ses vêtements. Quand elles lui placèrent la perruque sur la tête, les cheveux tombèrent sur le côté du visage, le démangeant comme le faisaient les perruques de sa femme quand il l'embrassait bien des nombreuses années auparavant. Elle portait des perruques depuis longtemps, mais il se souvenait qu'elle les trouvait souvent insupportables et les retirait d'un geste vif dès qu'elle était rentrée à la maison.

En perruque et muumuu, il sortit dans la ruelle avec Anne et Ferna à ses côtés. Il régnait une étrange paix dans le quartier, les maisons se fondant dans le noir aux ombres des ténèbres. Elles le guidaient dans les montées et les descentes des ruelles du quartier et il se sentait comme un aveugle qu'on conduit dans un labyrinthe. En marchant d'un pas vif, ils croisaient parfois un jeune homme qui, ivre, rentrait chez lui d'un pas trébuchant. Une jeune fille allait se coucher après avoir passé la nuit à vendre son corps. Un homme – ou n'était-ce pas plutôt une femme –, après avoir jeté un regard furtif aux chaussures très masculines de mon oncle, passa rapidement près d'eux, en baissant plus encore la tête afin de cacher davantage son visage, lui aussi en fuite sans doute.

Man Jou avait les bajoues gonflées comme des ballons que prenaient avec l'âge les gens de la lignée de Tante Denise. Souvent prête à sourire, elle prenait la mouche plus facilement encore. Elle était connue pour ses sautes d'humeur, mais également pour sa générosité et son sens de l'humour. Aussi quand Oncle Joseph arriva devant sa porte habillé en travesti, elle ouvrit la porte, éclata de rire et le laissa entrer. Sa maison, comme celle de Ferna, était petite, une salle de séjour et une chambre encore plus petite. Malgré tout, elle avait un grand lit, avec assez de place dessous pour qu'on puisse y disparaître sans étouffer.

Mon oncle passa les deux jours suivants chez Man Jou, dormant sur un matelas jumeau au pied du grand lit. Allongé là, souvent après avoir tenté de donner une série de coups de téléphone sans réussir à joindre ni Maxo ni les enfants ni Tante Zi, il écoutait Man Jou lui parler de la situation qui empirait de jour en jour. Dans la rue Saint-Martin, à quelques pas de là, la police avait ordonné à quatre jeunes de s'allonger sur le sol, face contre terre, et les avait tués en leur tirant une balle dans la nuque à bout portant. Horrible moyen de dissuasion, on avait laissé leur corps pourrir dans la rue pendant plus de quarante-huit heures. Entre-temps, les bandes armées avaient construit de nouvelles barricades près de son église avec divers débris et des voitures carbonisées. Seuls les résidents en bons termes avec les membres des gangs étaient autorisés à entrer dans sa rue. Les bandes s'étaient installées dans son appartement, dans l'école et l'église et y avaient établi leur base à partir de laquelle ils lançaient leurs opérations.

« S'il remet les pieds ici, aurait déclaré le chef des dreads, on le brûlera vivant. »

Les limbes

Mon oncle arriva à joindre Maxo et Tante Zi sur leur portable le soir du mercredi suivant. Ils avaient épuisé leurs dernières minutes disponibles à téléphoner dans toute la ville pour le retrouver. Finalement ils avaient rechargé leurs cartes et avaient attendu son appel.

Une fois ses enfants installés en toute sécurité à Léogâne, Maxo avait décidé d'accompagner son père à Miami et prévu de le rencontrer chez Tante Zi dès qu'il aurait réussi à quitter Bel Air. Lorsque mon oncle appela Tante Zi, dont la papeterie était dans la Grand Rue, à quelques minutes à pied de chez Man Jou, elle décida d'aller chercher son frère.

« Ne viens pas, implora mon oncle. Pas maintenant Zi. Pas encore.

— Nous ne pouvons pas te laisser-là-bas, répondit Tante Zi. Tu as ton billet d'avion. Tu peux quitter le pays demain. Il faut qu'on vienne te chercher. »

Le lendemain matin, jeudi, Tante Zi avait revêtu l'une de ses tenues toutes blanches qu'elle portait depuis 1999, quand son fils aîné, Marius, mourut du sida à Miami à l'âge de trente ans.

Au moment de sa mort, Marius n'avait laissé aucune trace de son séjour de plus de cinq ans à Miami. Aucun mot pour sa mère. Pas de comptes bancaires ni de bijoux, rien qui pût être placé dans une enveloppe scellée et envoyé à sa famille. Marius lui fut expédié dans un cercueil américain resplendissant et, à défaut d'autres souvenirs, Tante Zi gardait toujours sur elle les photos du cadavre de son fils partout où elle allait et avait adopté des vêtements blancs, comme un rappel quotidien de sa disparition.

Tante Zi portait ses habits de deuil quand elle s'approcha de la première barricade à Bel Air ce matin-là.

« Fiston. » Elle interpella un des nombreux jeunes qui gardaient un étroit passage entre deux carcasses d'autobus scolaires jaunes. Beau garçon gracile, à la peau foncée, il avait une troublante ressemblance avec Marius. Elle étendit le bras vers lui. Il en fit de même. Elle lui glissa rapidement dans la main un billet de vingt dollars haïtiens, en se détournant avant que les autres ne puissent voir ce qui se passait.

« Priez bien », marmotta-t-il. Il pensait sans doute qu'elle se rendait à la première messe du matin à Notre-Dame du Perpétuel Secours.

Il lui fit signe de passer, ce qu'elle fit en poursuivant son chemin à l'intérieur du quartier.

C'était la première fois qu'elle revenait à Bel Air depuis les événements de dimanche. Jamais elle n'avait vu l'endroit en aussi piteux état. Les rues étaient jonchées de détritus, des étuis vides de bombes lacrymogènes, des cartouches vides et autres débris de munitions, partout des déchets de toute nature. Des pans entiers de certaines maisons avaient disparu, détruits par les bulldozers des Nations unies.

En franchissant un autre barrage – une pile de pneus aussi haute qu'elle –, elle leva les deux mains au-dessus de la tête même si personne n'était là. Elle serrait dans son poing droit un mouchoir blanc qu'elle agitait d'avant en arrière pour bien montrer qu'elle n'avait pas d'armes. Les patrouilles des Nations unies et les barrages des bandes n'étaient séparées que de quelques rues, ce qui laissait un no man's land où quelqu'un comme elle se trouvant par hasard dans la rue au mauvais moment pouvait être pris pour cible par les deux camps.

Le soleil s'était levé et des gens s'aventuraient hors de chez eux. Elle faisait de son mieux pour se mêler à eux, en marchant lentement comme si elle se promenait sans but précis, mais la sueur imprégnait son corsage et sa jupe de coton. Depuis les jours qui s'étaient écoulés entre l'annonce de la mort de Marius et l'arrivée du corps, longtemps attendu, jamais elle n'avait été aussi effrayée.

Un char d'assaut des Nations unies était stationné à une courte distance, dans le bas de la côte, près du lycée Pétion. Oncle Joseph et elle n'avaient que cet espace à parcourir avant de se considérer en sécurité, au moins pour ce qui concernait les bandes armées. Il fallait que Tante Zi trouve le bon itinéraire, emprunte peut-être le sentier le plus boueux, le moins fréquenté, à travers le labyrinthe de ruelles qui l'amènerait à bon port.

Dans l'allée caillouteuse menant à la maison de Man Jou, Tante Zi avançait d'un pas tantôt trop rapide, tantôt trop lent. Comme les deux femmes l'avaient décidé au téléphone, Man Jou l'attendait sur le seuil. Elles voulaient que les choses apparaissent aussi normales que possible, comme une simple rencontre fortuite au petit matin.

« Est-ce que tu veux entrer ? demanda Man Jou.

— Wi, mési, mais je ne peux pas rester », dit Tante Zi.

Mon oncle était assis sur le lit de Man Jou, lisant paisiblement sa bible. Il portait les mêmes vêtements qu'il avait sous le muumuu depuis lundi. Son visage paraissait émacié, ses pommettes hautes – si semblables à celles de mon père – ressortant beaucoup plus que de coutume. Il leva les yeux et en voyant Tante Zi, il parut soulagé mais triste à la fois.

« Fré mwen », dit Tante Zi en l'embrassant sur le front.

Il haussa les épaules, ce qu'elle interpréta comme voulant dire : « Eh bien, les choses sont ce qu'elles sont. »

« Il ne veut pas recommencer, dit Man Jou. Il ne veut plus du déguisement.

— Fré mwen », s'exclama Tante Zi.

Mon oncle fit non d'un signe de tête.

« Je vais emprunter une serviette de toilette alors, dit Tante Zi. Nous lui couvrirons au moins la tête. Si des gens nous voient, ils penseront que c'est un malade que nous emmenons à l'hôpital. »

Mon oncle était fatigué de se cacher, mais il voulait surtout arrêter d'imposer sa présence à Man Jou, alors il accepta la serviette de toilette.

Quand ils sortirent dans le soleil du petit matin, mon oncle, même avec une partie du visage recouvert par la serviette de toilette, grimaça dans la lumière. Tante Zi lui prit la main et le conduisit dans une autre série de couloirs sinueux et de ruelles retirées, pataugeant en chemin dans la boue. Bien qu'elle avançât d'un pas vif, en le tirant parfois, il n'offrait aucune résistance et s'efforçait de la suivre de son mieux.

« Il était si fatigué, se rappelait Tante Zi. On aurait dit qu'il avait abandonné. »

Elle essaya de rester aussi près que possible de la rue surveillée par les patrouilles. Il devrait y avoir moins de monde dans ces ruelles et certainement très peu de membres des gangs. Malgré tout, chaque visage semblait menaçant. Même la plus vieille des femmes jetant un coup d'œil de son porche. Même le plus jeune enfant sautant à la corde à côté de Tante Zi. A chaque pas elle resserrait son emprise sur les doigts de mon oncle. Il leur suffisait d'arriver au lycée, au niveau d'un des tanks qui patrouillaient, se rappelait-elle sans cesse.

Tant qu'ils restaient dans les ruelles, ils se déplaçaient aussi près de la rue qu'ils le pouvaient, puis Tante Zi déboucha à vive allure dans une rue vide, toujours avec mon oncle en remorque. D'un pas pressé, ils suivirent le chemin qui longe la place devant Notre-Dame du Perpétuel Secours, au cas où il leur faudrait chercher précipitamment refuge dans l'église. Quelques minutes plus tard, ils se retrouvèrent devant le lycée, mais le patrouilleur des Nations unies n'était plus là. En passant rapidement devant la vieille cathédrale, ils se mêlèrent à la foule des marchands et à la cohue des voitures qui avançaient au pas.

Tante Zi se souvient d'avoir lu sur le visage de mon oncle : Ce n'était pas si difficile. Pourquoi n'ai-je pas essayé moi-même ?

« Tu n'aurais pas pu, mon frère, dit-elle en le rassurant. Ils n'ont pas pris que tes affaires. Ils ont pris aussi tes jambes. Ils ont pris ton cœur. Tu aurais pu partir seul de chez Man Jou et tu serais tombé raide mort sur le coup, rien qu'en découvrant qu'il y avait si peu de gens qui ne voulaient pas te tuer. »

Le tenant toujours par l'épaule, elle le conduisit jusqu'à son échoppe de papeterie. Elle n'avait pas pu travailler tous les jours de la semaine depuis le début des manifestations. Reprenant son souffle, mon oncle ôta la serviette de sa tête. Il s'assit sur un tabouret devant la boutique et se mit à essuyer la boue de ses chaussures avec du papier journal. Tante Zi lui offrit de l'eau qu'elle utilisait pour se laver les pieds et il en accepta un peu. Il refusa la nourriture qu'elle lui présenta quand il eut terminé. Il eut soudain de nombreux projets. Il lui fallait se rendre à la police antigang pour signaler ce qui s'était passé, aux Nations unies pour porter plainte. Maxo redescendait maintenant de Léogâne et allait l'accompagner à Miami. Mon oncle devait s'arrêter dans une banque pour retirer de l'argent, puis aller dans une agence de voyages voisine pour avoir confirmation de son vol, puis acheter un billet pour Maxo. L'aéroport était-il ouvert ? se demandait-il. Mais le chaos que connaissait Port-au-Prince était souvent limité à quelques zones. Certains quartiers étaient le théâtre de scènes de guérilla, tandis que d'autres demeuraient aussi paisibles... qu'une église, pourrait-on dire, ou peut-être qu'un cimetière, mais la paix était à présent difficile à trouver dans certaines églises, ainsi que dans certains cimetières.

Il dut aussi passer par une pharmacie pour refaire le plein des médicaments qu'il prenait en permanence pour sa prostate enflammée et sa tension artérielle trop élevée. Cette pharmacie distribuait également des herbes médicinales, des toniques à base d'écorces mélangées à des vitamines liquides qui, croyait-il, s'ils ne guérissaient pas, aidaient le corps à combattre certaines maladies. Il en acheta une grande bouteille pour mon père et une autre pour lui. Ces remèdes n'étaient pas très différents de ces sortes de potions miracles que l'herboriste de mon père à New York pouvait proposer, mais mon oncle, ayant utilisé ceux-là toute sa vie, était persuadé qu'ils agiraient avec plus d'efficacité parce que les plantes qui les constituaient poussaient dans son pays.

Après avoir acheté ses médicaments, il prit un taxi jusqu'à l'unité de la police antiémeute en face du dôme blanc du palais présidentiel. Pendant les premières années de la présidence de Duvalier, à la fin des années 1950 et au début des années 60, on ne pouvait pas s'arrêter, ne serait-ce qu'une minute, devant le palais présidentiel sans être aussitôt soupçonné de comploter contre le gouvernement et risquer d'être abattu. A cette époque également, si vos cheveux n'étaient pas coupés ras ou si vous portiez quoi que ce soit qui rappelle même vaguement une tenue afro, vous pouviez être arrêté. On pouvait aussi vous jeter en prison si vous marchiez pieds nus comme un vagabond, même si vous étiez trop pauvre pour vous acheter des chaussures. Ceux qu'on appelle les chimères, ces jeunes hommes, dont certains mouraient chez eux des suites des blessures par balle, et d'autres qu'on entassait dans une cellule de trois mètres sur trois de l'immeuble de la police antigang, n'auraient pas survécu à cette époque non plus.

A l'intérieur du bâtiment, le bruit était assourdissant. Des cris et des plaintes montaient de la cellule surpeuplée. Les policiers entraient et sortaient d'un pas énergique, certains toujours cagoulés, même à l'intérieur. Mon oncle se dirigea rapidement vers un bureau occupé par un des policiers des forces spéciales dont le visage n'était pas masqué. Comme la plupart de ses collègues, l'homme était grand et large d'épaules, plus grand que la plupart des Haïtiens. Mon oncle avait parfois entendu ses paroissiens dire que les policiers du CIMO n'étaient pas des Haïtiens et n'étaient même pas des hommes. C'étaient des machines créées par les Américains qui les entraînaient à tuer et détruire.

« Que puis-je faire pour vous ? » demanda le policier géant derrière son bureau, qui avait un air doux et aimable, loin de l'image d'un tueur brutal.

« J'aimerais faire une déposition », dit mon oncle.

Sa voix mécanique résonnait sans doute dans toute la pièce faiblement éclairée. Il se peut qu'il ait regardé autour de lui pour voir si quelqu'un l'observait, quelqu'un qui aurait pu le reconnaître, puis l'attendre à l'extérieur pour le tuer.

Le policier l'invita à s'asseoir.

« C'est à quel sujet ? » demanda-t-il en tirant un formulaire d'un classeur posé sur le bureau déjà encombré de piles et de piles de papiers. Le policier mit la main sur un stylo sous un autre tas de documents et s'apprêta à écrire.

Le formulaire portait comme en-tête les mots suivants :

POLICE NATIONALE D'HAÏTI
SERVICE D'IVESTIGATION ET ANTIGANG (SIAG)
SECTION DE DOLÉANCES

Comme pour ôter tout espoir que la plainte qu'il déposait serait prise en compte, le mot « investiga-

tion » était écrit avec une faute de frappe sur le papier
à en-tête du service.

La nature de l'incident en question fut résumée en
« pillage, vol et incendie ». La déclaration de mon
oncle devant le policier retraçait les circonstances de
ce qui s'était passé le dimanche à l'église ainsi que le
lendemain. Parmi les nombreuses choses qu'il déclara
avoir perdues figuraient « nos papiers importants ». Le
policier lui demanda quarante dollars haïtiens,
l'équivalent de cinq dollars américains, pour faire une
photocopie du document original qu'il posa en haut
d'une autre grande pile de documents similaires sur
son bureau.

Quelqu'un pourrait-il être envoyé à sa maison à Bel
Air pour examiner la situation ? demanda mon oncle.

Le policier lui répondit que le moment n'était pas
propice. Ils étaient trop occupés, mais ils feraient le
nécessaire plus tard.

Et pourrait-on envoyer un juge de paix, un juge
d'instruction ou quelque autre juge comme on le
faisait habituellement sur la scène d'un crime ?

S'il pouvait trouver un magistrat qui irait à ses frais,
le policier lui dit qu'il était libre d'envoyer quelqu'un,
mais il lui souhaita bonne chance, car personne à ce
moment-là n'allait à Bel Air, pas même les policiers
du CIMO, ni les Nations unies.

Mais si les gangs s'installaient dans sa propriété et
qu'il lui fallait un jour recouvrer son bien, n'aurait-il
pas besoin d'un rapport signé d'un juge de paix ?

« Nous sommes en guerre aujourd'hui, lui expliqua

calmement le policier. Nous verrons ce qui arrivera après la guerre. »

Mais combien de temps cette guerre pouvait-elle durer ? Combien de personnes se verraient contraintes de fuir ? Combien mourront ? Les Nations unies, la MINUSTAH n'étaient-elles pas là pour mettre un terme à cette guerre ?

Comment pouvait-il faire la même déposition auprès des Nations unies, de la MINUSTAH ?

Le policier lui dit de monter à Bourdon, un petit quartier sur les hauteurs de la ville, sur la route menant à Pétion Ville, un des faubourgs de Port-au-Prince. La CIVPOL, la Police civile des Nations unies, avait établi son quartier général à la Villa Saint-Louis, un immeuble de vingt-cinq pièces, hôtel à soixante dollars américains la nuit avec des balcons spacieux dominant des zones entières de Port-au-Prince.

Il quitta la police antigang vers midi, emportant la copie de sa déposition. Dehors il faisait une température étouffante et il sentit le soleil lui chauffer le visage à travers les poils de sa barbe de ces deux derniers jours. Il n'avait pas pu se raser chez Man Jou. Il devait se rappeler d'acheter un rasoir avant d'aller chez Tante Zi de façon à être rasé de près pour son vol du lendemain.

Puis il prit un autre taxi pour la Villa Saint-Louis. A l'entrée, il demanda à des soldats en tenue camouflée où il pourrait déposer une plainte. Les soldats haussèrent les épaules, car ils ne parlaient ni créole ni français.

« Português », lui dirent-ils en lui faisant signe d'aller à l'intérieur.

En comparaison de Bel Air et du service antigang, l'hôtel paraissait extrêmement luxueux, avec sa piscine et son solarium encombré de tables à parasol. Avant le début des raids contre les émeutes, il avait entendu certains de ses paroissiens dirent en plaisantant que la MINUSTAH était en réalité la TURISTA, des touristes venus pour quelque exploration aventureuse. Il se demandait ce que diraient maintenant ces paroissiens s'ils voyaient cet hôtel.

Autour du bar et du salon grouillaient nombre de policiers de la CIVPOL. Aussi déroutante que la vie était soudain devenue, il fallait maintenant se rappeler tous ces acronymes, CIMO, SIAG, MINUSTAH, CIVPOL.

Contrairement aux « soldats de la paix » de la MINUSTAH, les policiers de la CIVPOL portaient tous l'uniforme de la police de leur pays avec des casques bleus des Nations unies et des gilets pare-balles assortis. Mon oncle reconnut sans hésitation les tuniques écarlates et les culottes de cheval des membres de la police montée canadienne, des francophones, qui dépassaient en nombre les autres groupes bavardant entre eux en différentes langues.

S'approchant de l'un d'eux, il demanda en français s'il pouvait déposer une plainte.

Le policier eut du mal à comprendre sa voix transmise par la boîte vocale et mon oncle dut répéter sa requête à plusieurs reprises. Le policier, un homme dont le visage paraissait aussi rouge que sa tunique, peut-être à cause d'un coup de soleil, prit mon oncle à part dans un coin tranquille près d'un escalier et, alors que son regard était attiré par d'autres policiers qui prenaient leur déjeuner autour de la piscine, mon oncle tenta de lui raconter ce qui était arrivé.

Avait-il fait une déposition auprès de la police anti-gang ? lui demanda le policier.

Il répondit par l'affirmative et tendit le document de la SIAG au policier.

Celui-ci prit le papier et lui dit de l'attendre. Il allait faire une photocopie.

Le bourdonnement des conversations multilingues fut une distraction pour mon oncle durant son attente. Bientôt le policier fut de retour. Il avait fait une photocopie de la déclaration, lui dit-il.

« Merci », dit mon oncle, sans être certain de la raison pour laquelle il le remerciait.

Allait-on prendre des mesures ? demanda mon oncle. Les soldats des Nations unies qui avaient tiré du haut de son toit allaient-ils être punis ? Les personnes qui avaient été blessées seraient-elles secourues ? La Croix-Rouge pourrait-elle intervenir et les emmener à l'hôpital ? Les familles des morts seraient-elles indemnisées ? Ou recevraient-elles au moins une aide pour les frais d'obsèques ?

Il est probable que ce sont les agents de la police haïtienne qui ont ouvert le feu du haut du toit, lui dit le policier. La MINUSTAH et la CIVPOL n'étaient ici que pour aider la police haïtienne. Si ses voisins

avaient été blessés et tués par la police haïtienne, les
Nations unies ne pouvaient rien faire.

Mon oncle avait-il contacté les organisations travaillant dans le domaine des droits de l'homme en
Haïti? demanda-t-il. La Coalition nationale pour les
droits des Haïtiens, basée à New York, le Comité des
avocats pour le respect des libertés individuelles?

Mon oncle répondit qu'il ne savait pas où l'on
pouvait joindre ces groupes. En outre, il quittait le
pays le lendemain. Il se rendit compte que sa démarche devait paraître arrogante, le fait d'un privilégié,
favorisé par la chance. Il y en avait tant d'autres qui
restaient pris sans échappatoire entre deux feux, la
police et les Nations unies d'un côté, les bandes
armées de l'autre. Il envisageait de revenir, dit-il, et
c'est pour cela qu'il voulait faire ces dépositions de
façon à récupérer sa maison, vivre de nouveau là où il
avait passé la plus grande partie de sa vie.

Bonne chance, lui dit le policier.

Plus tard, après avoir quitté Léogâne et avant de se
rendre chez Tante Zi, Maxo emprunterait le même
itinéraire que son père, l'un ignorant que l'autre était
allé faire une déposition à la section antigang qu'il
avait ensuite portée aux Nations unies. Maxo était allé
dans un autre immeuble, près de la Villa Saint-Louis,
où les Nations unies avaient d'autres bureaux. Là, il
rencontra d'autres policiers brésiliens et d'autres
caporaux de la police montée canadienne. Ces hommes (il y avait peu de femmes dans ces unités) et tous
ceux qui portaient l'uniforme maniaient une matraque

et portaient un fusil, inspirant à Maxo et à mon oncle à la fois respect et crainte, car ils s'inscrivaient dans un mouvement d'attirance et de répulsion, ou dans ce que mon oncle appelait en créole « modé soufle », où ceux qui sont le plus en mesure de vous éliminer sont aussi les seuls offrant quelque illusion de protection et de refuge, l'espoir ténu – même trompeur – d'une possible restauration. Sur le rapport de Maxo auprès de la SIAG, dans sa « déclaration de perte », lui aussi avait mis « nos papiers importants », actes de naissance, vieux bulletins scolaires, photos de famille, diplômes, toutes ces choses dont on pourrait avoir besoin pour reconstituer ne serait-ce que les plus infimes fragments d'une vie.

Je n'appris la situation fâcheuse de mon oncle que le jeudi soir. Tante Zi avait appelé sa fille à New York qui avait ensuite transmis la nouvelle à mon père.

Durant notre conversation au téléphone, cette nuit-là, mon père me dit calmement : « Tu es enceinte, alors ne te fais pas trop de bile, mais ton oncle a eu des problèmes.

— Qu'est-il arrivé ? ai-je demandé.

— Je ne connais pas tous les détails, mais j'ai entendu dire qu'il y a un gang dans sa maison maintenant.

— Où est-il ?

— Lui et Maxo sont chez Zi. Ils arrivent à Miami demain. Tu les verras avant nous tous. »

Après avoir transmis les nouvelles à mon mari, je téléphonai à Tante Zi sur son portable. A sa manière exubérante, que ce soit pour de bonnes ou de mauvaises nouvelles, Tante Zi me raconta l'histoire avec tous les détails qu'elle connaissait, ceux que mon oncle lui avait donnés.

Je lui demandai si je pouvais parler à mon oncle.

« Il dort, me dit-elle.

— Maxo ?

— Il dort aussi. »

Elle n'avait pas le cœur de les réveiller, précisat-elle, parce qu'ils avaient connu des moments très difficiles et avaient très peu dormi les jours précédents, sans compter qu'il fallait qu'ils se lèvent tôt le lendemain matin pour prendre leur avion.

« S'il te plaît, demande-leur de m'appeler demain matin, dis-je. Mon mari et moi devons savoir quel vol ils vont prendre pour les accueillir à l'aéroport. »

Un des amis pasteurs de mon oncle ira les attendre, m'a-t-elle dit. Mon oncle avait déjà tout arrangé. « Ne t'en fais pas, ajouta-t-elle. Ils t'appelleront à leur arrivée. »

Une telle honte

Le lendemain, vendredi, l'état de santé de mon père empira. Inquiet pour mon oncle, il n'avait pas dormi la nuit précédente. Au téléphone, sa voix était si rauque d'avoir trop toussé qu'il parvenait à peine à parler. Son eczéma et son psoriasis étaient revenus et il avait complètement perdu le peu d'appétit qu'il avait.

Ma fille venait de se mettre à donner des coups de pied la nuit et, au petit matin, ses acrobaties fœtales me laissaient épuisée. J'étais au lit luttant contre un évanouissement lorsque Bob m'appela pour me parler de Papa.

« Tu devrais peut-être l'emmener à l'hôpital, lui dis-je.

— Il ne veut pas y aller, répondit-il. Il dit qu'ils vont le renvoyer à la maison comme les fois précédentes. »

Pendant que Bob parlait, j'entendis derrière lui mon père tousser et gémir bruyamment.

« Il va de plus en plus mal, ajouta Bob. Et cette affaire avec Oncle Joseph n'arrange rien. »

J'aurais aimé être à New York avec mon père, aussi j'ai fermé les yeux et me suis imaginée là-bas. Je suis assise sur le bord de son lit et nous regardons à la télévision son émission de jeu préférée, *Le juste prix*. Etant dans l'incertitude complète, nous donnons des réponses au hasard et, malgré tout, nous gagnons à tous les coups, ce qui rend mon père si heureux qu'il se lève de son lit et se met à danser. Il danse d'abord comme une ballerine, avec de lents mouvements, puis augmente sa cadence jusqu'à sauter sur place, en rebondissant dans son lit.

Lorsque je me suis réveillée, j'étais dans le doute. S'agissait-il d'une simple rêverie ou d'un rêve véritable ? Cependant, quand je regardai l'horloge digitale sur ma table de chevet, il était trois heures de l'après-midi passées.

Le téléphone sonnait, ce qui expliquait pourquoi je m'étais réveillée. Je décrochai, m'attendant à parler à mon oncle et Maxo. Mais c'était Tante Zi.

« Est-ce qu'ils sont avec toi ? demanda-t-elle.

— Non », dis-je.

Peut-être avaient-ils appelé et je les avais manqués. Le clignotant signalant les messages sur le répondeur était éteint. Et aucun appel n'avait été enregistré non plus.

« Leur avion a dû atterrir », me dit Tante Zi. Ils étaient partis à l'aéroport très tôt, mais ils avaient décollé peu après midi.

« C'est moi qui les ai emmenés à l'aéroport. » Elle parlait rapidement d'une voix forte dans laquelle se mêlaient fatigue nerveuse et anxiété. « Je les ai emmenés en camionnette.

« Je t'ai envoyé une tablèt, ajouta-t-elle, de celles que tu aimes, je le sais. C'est l'oncle qui les as pour toi. »

Qu'elle ait pu se souvenir de me faire parvenir des confiseries aux cacahuètes en des circonstances aussi difficiles me stupéfia.

« J'ai pensé que tu devais avoir des envies, dit-elle. Avoir des envies non satisfaites, ça peut laisser des taches de vin sur le bébé. »

Elle se tut quelques instants, puis reprit de la même voix vive et forte.

« Ecoute, prends bien soin de ton oncle, dit-elle. Il a tout perdu.

— Je prendrai soin de lui, répondis-je.

— Je ne pense pas qu'il devrait revenir en Haïti avant longtemps, continua-t-elle. C'est fou ici, maintenant. Il n'y a pas de paix. »

J'attribuai le fait de ne pas avoir de nouvelles de mon oncle et de Maxo à un retard du vol. Puis j'appelai la compagnie d'aviation, American Airlines, et appris que l'avion à bord duquel mon oncle et Maxo auraient dû voyager était bien parti et arrivé. A cause des lois sur la protection de la vie privée, ils ne purent me dire si mon oncle et Maxo étaient ou non sur la liste des passagers. Il se faisait tard, mon mari était revenu de son travail et je devenais de plus en plus anxieuse. Peut-être avaient-ils simplement raté leur avion, me dit mon mari, et prendraient celui du lendemain.

La soirée commença sans qu'aucune nouvelle ne me parvienne. Puis je reçus plusieurs appels, d'abord d'Oncle Franck à New York, puis de mon père. Ce qui m'inquiéta encore plus fut l'appel de l'ami pasteur de mon oncle. Sa femme avait attendu trois heures à l'aéroport international de Miami et n'avait vu aucun signe de mon oncle ni de Maxo.

Vers neuf heures du soir, les coups de téléphone s'arrêtèrent soudain. Nos téléphones portables en poche, Fedo et moi partîmes pour ce que nous appelions notre balade quotidienne de grossesse sur la promenade de Miami Beach. C'était une nuit parfumée, mais une brise fraîche soufflait de l'océan. Nous n'avons pas marché longtemps. Je craignais que mon oncle ne se souvienne que du numéro de mon téléphone fixe et nous rentrâmes rapidement à la maison pour attendre. De temps à autre, j'appelai Tante Zi sur son portable, mais n'obtins aucune réponse.

Fedo et moi nous nous allongeâmes en élaborant divers scénarios. Je voulais avoir au moins une explication plausible pour mon père.

« Ils vont probablement arriver demain », dis-je à mon père quand il m'appela.

Mon père n'avait appelé que pour savoir ce qu'il en était de mon oncle et de Maxo. Il était trop faible pour poursuivre la conversation. Je m'endormis d'un sommeil profond et triste.

Mon téléphone sonna à une heure et demie du

matin. Depuis que mon père était tombé malade, les appels téléphoniques tard le soir ou tôt le matin me faisaient sauter hors du lit malgré mon ventre maintenant très gros. Mais je ratai l'appel.

Sur le répondeur, je trouvai un message d'une fonctionnaire du service des douanes et de l'immigration des Etats-Unis. Elle aurait pu lire le formulaire établi par son organisme dans le cadre d'une rétention administrative : « Je suis l'agent Untel du Service des douanes et de la protection des frontières des Etats-Unis à l'aéroport international de Miami. Votre oncle, qui est arrivé aux Etats-Unis sur le vol American Airlines 822, nous a demandé de vous contacter... », mais elle s'est contentée de dire : « Mme Danticat, nous avons ici votre oncle. »

Puis elle marqua une pause et je crus comprendre qu'elle écartait légèrement le téléphone de sa bouche pour demander à mon oncle : « Quel est votre nom, monsieur ? »

La boîte vocale de mon oncle me parvint clairement et je l'entendis répondre « Joseph Dantica ». Il prononça son nom à la française, en mettant l'accent sur la dernière syllabe. Bien qu'une erreur sur l'acte de naissance de mon père ait fait de lui un Danticat, ce qui nous a donné une variation particulière de notre nom de famille, nous prononçons toujours nos noms de famille de la même façon. En français et en créole notre *t* demeurait muet, mais j'ai souvent taquiné mon oncle en lui disant qu'en anglais nous étions des « cats », des chats, et pas lui.

« Nous l'avons ici, poursuivait la fonctionnaire sur le message, au Service des douanes et de la protection des frontières des Etats-Unis. Il a fait une demande d'asile et nous terminons le travail administratif à son sujet. »

Il y avait de l'espoir, de la bienveillance dans sa voix, une impression de travail quotidien, terre à terre et routinier. Mais son numéro ne s'était pas enregistré sur mon téléphone et elle ne me l'avait pas laissé pour que je la rappelle.

Mon mari cherchait sur Internet pendant que je feuilletais les Pages Jaunes à la recherche d'une liste de numéros d'appel pour le Service des douanes et de la protection des frontières à l'aéroport international de Miami. Après quelque temps, nous avons réussi à obtenir le numéro.

« Quelqu'un vient de me téléphoner, dis-je. A propos d'un homme âgé et de son fils.

— Je suis au courant », dit l'homme qui répondit. A travers les quelques mots qu'il prononça, je sentis le mépris, qu'il avait peut-être toujours dans le ton de sa voix mais qui paraissait néanmoins m'être spéciale-ment adressé. « Ils sont arrivés sans papiers et ont essayé d'entrer...

— Ils ont des papiers, ai-je tenté d'expliquer.

— Excusez-moi, me coupa-t-il, mais j'ai deux vols qui arrivent. » Puis il raccrocha.

« Il faut que nous allions à l'aéroport », dis-je à mon mari. Nous n'étions qu'à un quart d'heure et, au téléphone, nous n'arriverions à rien.

A l'aéroport, au comptoir fermé d'American Airlines, nous sommes tombés sur un Haïtien qui faisait le ménage et qui nous donna la direction du Service des douanes et de la protection des frontières. Eux aussi étaient fermés. Devant les portes métalliques, je composai de nouveau leur numéro.

Une autre voix d'homme décrocha le téléphone.

« On m'a appelée, dis-je, à propos de mon oncle Joseph Dantica. Il doit être avec son fils Maxo.

— Ils sont ici devant moi. » C'était la voix la plus accueillante et, en apparence, la plus polie que j'avais entendue jusqu'alors.

« Je suis à l'aéroport, dis-je.

— Oui ?

— Je suis venue les chercher. »

La longue pause qu'il marqua était l'indication d'une sorte de malentendu de ma part. On m'avait dit quelque chose que je n'avais pas entièrement saisi.

« Nous vous avons téléphoné uniquement pour vous informer qu'ils étaient là, dit-il. Ils ne sont pas remis en liberté. Ils partent pour Krome. »

J'étais accablée. L'année précédente, j'avais participé à une visite du centre de rétention de Krome organisée par le Comité de défense des immigrants de Floride comme membre d'une délégation d'observateurs. Série de bâtiments de béton grisâtre et de caravanes, Krome paraissait implanté en plein désert, au sud-ouest de Miami. Pendant notre visite, un groupe d'hommes vêtus de combinaisons bleu foncé identiques avaient été conduits dans un patio au sol de béton, entouré d'une clôture grillagée surmontée par des rangées de fil de fer barbelé. Les hommes avancèrent en deux files, s'assirent autour des longues tables de cantine et racontèrent leurs histoires à notre délégation. C'étaient des boat people haïtiens qui se présentèrent en ajoutant à leurs noms de famille la dénomination des embarcations sur lesquelles ils étaient arrivés.

« Mon nom est... disaient-ils. Je suis arrivé sur le bateau de juillet » ou : « Je suis arrivé sur le bateau de décembre. »

Certains inventaient des paraboles pour décrire les circonstances de leur aventure. Un homme parla de chiens fous – des membres des gangs – qui l'avaient menacé et forcé à chercher refuge chez un voisin, le voisin étant les Etats-Unis. Un autre nous décrivit un torrent de boue – il entendait par là le régime Lavalas, le parti de l'inondation – qui avait tout emporté sur son passage. Un autre nous demanda de dire au monde que les détenus étaient parfois battus. Il mentionna un ami qui avait eu le dos cassé par un gardien et fut expulsé avant d'avoir été examiné par un médecin. Certains prisonniers se battaient entre eux, allant presque parfois jusqu'à s'entretuer sous l'œil indifférent des gardiens. Ils nous parlèrent d'autres gardiens qui leur disaient qu'ils sentaient mauvais, qui se moquaient d'eux en leur lançant que, contrairement aux boat people cubains qui trouvaient refuge aux Etats-Unis, ils n'obtiendraient jamais le droit d'asile, que très peu d'Haïtiens l'avaient obtenu. Ils confiaient que les grandes salles où ils dormaient sur des rangées interminables de lits de camp étaient souvent si bondées que certains devaient dormir sur des matelas très minces à même le sol. Ils avaient parfois si froid qu'ils grelottaient toute la nuit. Ils parlaient aussi des repas qui les punissaient plus qu'ils ne les nourrissaient, leur donnaient des diarrhées et les faisaient vomir. Ils parlaient des couvre-feux décidés arbitrairement, des réveils à six heures du matin et des retours dans ce dortoir non chauffé à six heures du soir.

J'avais vu des hommes qui paraissaient trop jeunes pour avoir les dix-huit ans révolus nécessaires pour être détenus à Krome. Certains avaient plutôt l'air d'en avoir quatorze, voire douze. Comment peut-on être sûr qu'ils ne sont pas plus jeunes, ai-je demandé à un des avocats de notre délégation, s'ils arrivent sans acte de naissance, sans papiers ? L'avocat me répondit que leur âge était déterminé par un examen de leur dentition. Je n'ai pas pu échapper au souvenir déchirant de ces ventes aux enchères au cours desquelles on ouvrait de force la bouche des esclaves pour juger de leur valeur et de leur état de santé.

Un homme, qui avait obtenu le droit d'asile mais n'avait pas encore été libéré, nous montra des traces de brûlures sur ses bras, sa poitrine et son ventre. Sa peau, si desséchée qu'elle en était devenue blanche, présentait des alignements de cicatrices aux multiples bourrelets fibreux rougeâtres. Le simple fait de regarder son ventre, cet espace où les balafres s'enfonçaient dans son corps, était comme un viol. Mais il avait l'habitude de montrer ses cicatrices, nous dit-il. Il avait dû le faire face à de nombreux juges de l'immigration pour leur prouver qu'il méritait de rester.

J'étais assise devant un vieil homme ayant à peu près l'âge de mon père, qui m'avait dit : « Si j'avais une balle, je me serais déjà tué. Je ne suis pas un criminel. Je ne suis pas habitué à la prison. »

La honte d'être emprisonné les obsédait plus que toute autre chose. Une blessure dont la plupart ne pouvaient pas guérir. Avoir été mis aux fers, menottés, nombre d'entre eux, en frottant l'endroit de leurs poignets où les menottes souples avaient été placées à peine le pied posé sur le rivage américain, nous dirent : « De ma vie, je n'ai jamais connu une telle honte. »

J'avais rencontré un jeune homme de Bel Air. Ses yeux étaient rouges. Il ne pouvait pas s'empêcher de pleurer. Sa mère était morte la semaine précédente, me dit-il, et il ne pouvait même pas assister à son enterrement. Il me dit le nom de sa mère et quand il me décrivit la maison de Bel Air où elle habitait et où lui-même avait vécu, je la reconnus. Elle était à deux pas de la maison de mon oncle.

« Puis-je parler à mon oncle ? demandai-je à l'agent des douanes qui, me semblait-il, attendait patiemment que je raccroche.

— Ce n'est pas autorisé, me dit-il.

— S'il vous plaît, dis-je. Il est vieux et...

— Il se mettra en rapport avec vous quand il sera à Krome. »

Étranger 27041999

Mon oncle était désormais l'étranger 27041999. Lui et Maxo avaient quitté l'aéroport Toussaint-Louverture de Port-au-Prince sur le vol 822 d'American Airlines. L'avion devait décoller à 12 h 32, mais fut légèrement retardé et partit un peu plus tard que l'heure prévue.

A bord, mon oncle essaya d'écrire ce qui lui était arrivé sur une feuille de papier blanc. Il intitula son texte « Epidémie du 24 octobre 2004 ».

« Un groupe de chimères a détruit l'Eglise chrétienne de la Rédemption », tels étaient les premiers mots de son récit. Puis il renonça à écrire des phrases et se contenta de dresser la liste de ce qui avait été pris dans l'église ou brûlé, dont les bancs, deux fauteuils capitonnés utilisés pendant les cérémonies de mariage, une batterie, plusieurs haut-parleurs et micros.

Lorsqu'ils descendirent de l'avion vers deux heures et demie de l'après-midi, mon oncle et Maxo attendirent leur tour avec de nombreux visiteurs dans l'une des longues files du Bureau des douanes et de la protection des frontières (Customs and Border Protection, ou CBP). Quand ils arrivèrent au contrôle, ils présentèrent au fonctionnaire leurs passeports et leurs visas de tourisme valides. Il leur demanda combien de temps ils comptaient rester aux Etats-Unis et mon oncle, sans être conscient de ce que ce choix impliquait, déclara qu'il voulait faire une demande d'asile temporaire. Lui et Maxo furent alors mis à l'écart et conduits dans une zone d'attente des douanes.

J'ignore pourquoi mon oncle n'a pas simplement utilisé le visa valide qui était en sa possession et lui permettait d'entrer aux Etats-Unis, comme il l'avait fait au moins trente fois auparavant, plutôt que formulé cette demande d'asile. Je suis certaine qu'il n'avait aucune intention de passer le reste de son existence à New York ou à Miami. C'est pour cela qu'il avait précisé asile « temporaire ». Avait-il agi ainsi sur les conseils de quelqu'un? Sur des informations entendues à la radio ou lues dans les journaux? Pensait-il qu'étant donné les circonstances de son départ, les autorités — c'est-à-dire ceux qui avaient le pouvoir tout à la fois de lui prêter main forte et de le briser — ne pouvaient que le croire? Il prévoyait de rester au plus quelques semaines, voire quelques mois, mais il était bien décidé à retourner en Haïti. C'est pour cela qu'il avait en sa possession le rapport de la police de l'unité antigang. C'est aussi la raison pour laquelle il avait voulu qu'un homme de loi, juge de paix ou juge d'instruction, aille à Bel Air porter témoignage et dresser un constat, de façon à pouvoir revenir en Haïti

quand la situation serait plus calme et reprendre possession de sa maison, de son école et de son église. C'est
ce qu'il avait dit la veille de son départ à Tante Zi.

Je peux seulement supposer que lorsqu'on lui a
demandé combien de temps il comptait rester aux
Etats-Unis, il savait qu'il y resterait plus longtemps
que les trente jours auxquels son visa de tourisme lui
donnait droit, et qu'il voulait dire la vérité.

Maxo et mon oncle furent pris en charge par un
autre fonctionnaire du Bureau des douanes et de la protection des frontières à 17 h 38. Celui-ci jugea que
mon oncle aurait besoin d'un interprète pour son
interrogatoire. Maxo, qui parlait couramment l'anglais, ne pouvait pas, en tant que fils, remplir ce rôle.

Les documents du CBP rapportent que mon oncle
fut interrogé par un agent de cet organisme du nom
de Reyes, avec l'aide d'un interprète. Selon la procédure réglementaire utilisée par le CBP, l'agent Reyes
a dû commencer son interrogatoire par les mots
suivants : « Je suis un agent de Service de l'immigration et de la naturalisation des Etats-Unis. Je suis
habilité à appliquer les lois sur l'immigration et à
prendre des déclarations sous serment. Je désire prendre votre déclaration sous serment sur votre demande
d'admission aux Etats-Unis. »

Une photo numérique jointe à l'interrogatoire de
mon oncle le montre fatigué et perplexe. Sa tête est
cadrée de la pointe de ses cheveux en V à son menton.
La photo laisse voir une partie de son épaule, rejetée en

arrière, hors cadre. Il porte une veste, celle qu'il portait, selon Maxo, quand il quitta sa maison de Bel Air. Quoiqu'il soit face à l'appareil, ses yeux sont tournés sur le côté, vraisemblablement vers le photographe.

L'interrogatoire commença avec cette question posée à mon oncle par l'agent Reyes : « Comprenez-vous ce que je vous dis ?

— Oui, répondit mon oncle.

— Acceptez-vous de répondre maintenant à mes questions ? »

Mon oncle déclara sous serment que toutes les réponses qu'il s'apprêtait à donner seraient exactes et complètes. L'agent Reyes lui demanda ensuite ses nom et prénoms.

« Dantica Joseph Nosius, répondit mon oncle.

— De quel pays êtes-vous ressortissant ?

— Haïti.

— Avez-vous quelque raison qui vous ferait croire que vous êtes citoyen des Etats-Unis ?

— NON.

— Avez-vous de la famille, mère, père, frère, sœur, épouse ou enfant qui sont citoyens ou résidents permanents des Etats-Unis ? »

Mon oncle répondit qu'il avait deux frères aux Etats-Unis, un – mon père – était naturalisé citoyen américain et le second – mon oncle Franck – résident permanent.

« Qu'est-ce qui motive votre entrée aux Etats-Unis aujourd'hui ? demanda l'agent Reyes.

— Un groupe qui cause des désordres en Haïti veut me tuer », répondit mon oncle.

Selon le compte rendu écrit, l'agent Reyes ne demanda aucune autre explication ou précision.

« Combien d'argent avez-vous sur vous ? » demanda-t-il en poursuivant l'interrogatoire.

Mon oncle répondit qu'il avait mille neuf dollars américains sur lui.

« Quelle est votre profession ? » demanda l'agent Reyes.

Le secrétaire et traducteur écrivit que mon oncle avait dit : « Je suis prêtre », mais il précisa plus probablement qu'il était evèk, c'est-à-dire membre du Conseil de son Eglise.

« A votre arrivée, quels documents avez-vous présentés à l'agent du Bureau des douanes et de la protection des frontières ?

— Mon passeport haïtien et mes papiers d'immigration, répondit mon oncle.

— Quel nom est mentionné sur ces documents ?

— Dantica Joseph Nosius.

— Est-ce que le nom sur ces documents est véritablement le vôtre ?

— Oui.

— Avez-vous déjà utilisé d'autres noms ?

— Non.

— Prenez-vous actuellement des médicaments sur ordonnance médicale ? » demanda l'agent Reyes.

Le secrétaire-interprète écrivit que mon oncle avait dit : « Oui, pour des maux de dos et pour la poitrine. » Et entre parenthèses, il ajouta « ibuprofène ».

Le compte rendu ne fait, de la part de mon oncle ni de celle de l'agent Reyes, aucune mention des deux bouteilles de rhum remplies d'herbes médicinales, l'une pour lui-même, l'autre pour mon père, ainsi que des flacons de pilules obtenues sur prescription médicale pour sa tension et sa prostate enflammée.

« Comment définiriez-vous votre état de santé actuel ? » poursuivit l'agent Reyes.

Selon le compte rendu, mon oncle répondit : « Pas mal. » Il avait probablement dit : « Pa pi mal », ce que mon père continuait à répéter, même sur son lit de mort.

« Avez-vous déjà été arrêté à quelque moment de votre vie, où que ce soit ?

— Non.

— Pourquoi exactement demandez-vous pour [*sic*] l'asile politique aux Etats-Unis aujourd'hui ?

— Parce qu'on a brûlé mon église et que je crains pour ma vie. »

De nouveau aucune explication, aucun détail supplémentaire ne fut demandé et mon oncle n'ajouta rien de plus.

« Avez-vous déjà fait une demande d'asile politique aux Etats-Unis ou dans un autre pays ?

— Non.

— Est-ce que n'importe qui [*sic*] a déjà adressé en votre nom une demande pour devenir résident permanent aux Etats-Unis ?

— Non.

— Avez-vous séjourné aux Etats-Unis au cours de l'année 1984 ?

— Oui, mais je ne m'en souviens plus. »

(Moi non plus, je ne me rappelais pas s'il était venu ou non aux Etats-Unis en 1984. Je savais qu'il était venu l'année précédente, pendant l'été 1983, quand il avait eu sa boîte vocale, mais je ne suis pas parvenue à me rappeler s'il était revenu l'année suivante.)

« Avez-vous déjà fait la rencontre [*sic*] du Service de l'immigration des Etats-Unis ?

— Non.

— Pourquoi avez-vous quitté votre pays d'origine où vous habitiez ?

— Parce que je crains pour ma vie en Haïti. Et on a brûlé mon église.

— Avez-vous des craintes ou des inquiétudes si vous retourniez dans votre pays d'origine ou si vous étiez renvoyé des Etats-Unis ?

— Oui.

— Seriez-vous en danger si vous retourniez dans votre pays ?

— OUI.

— Avez-vous compris mes questions ?

— Oui.

— Avez-vous d'autres questions ou désirez-vous ajouter quelque chose ?

— Non. »

On demanda ensuite à mon oncle de signer le procès-verbal. Il était censé parapher chaque page du compte rendu traduit, mais il signa de son nom entier les cinq pages du document. Sur la main courante du service est signalé qu'il fut ensuite ramené dans la salle d'attente où, à 19 h 40, on lui donna un soda et des chips.

A 22 h 03, mon oncle Franck reçut un coup de téléphone chez lui à Brooklyn. L'agent du CBP qui l'appelait – un homme – demanda à Oncle Franck si Oncle Joseph avait fait une demande pour devenir résident aux Etats-Unis en 1984. Oncle Franck répondit par la négative.

Plus tard, nous apprendrons en consultant les archives du ministère de l'Intérieur, que le 22 septembre 1983, l'hôpital de Kings County, où mon oncle avait subi son opération et où il s'était rendu à plusieurs reprises pour des soins post-hospitaliers, s'était enquis auprès du ministère de la Justice des Etats-Unis du statut d'immigration de mon oncle. En conséquence de quoi, le 14 février 1984, un dossier d'immigrant « étranger », numéro 27041999, une procédure dont il n'avait jamais été averti, fut ouvert à son nom. Par la suite, le dossier fut fermé.

« Il vient aux Etats-Unis depuis plus de trente ans, se souvient avoir dit Oncle Franck à l'agent du CBP qui lui téléphona. S'il avait voulu rester, il l'aurait fait il y a longtemps. »

Oncle Franck demanda alors s'il pouvait parler à Oncle Joseph.

« Ils disent qu'ils vont me mettre en prison », telles sont les paroles, d'après les souvenirs d'Oncle Franck, que prononça Oncle Joseph. Il était difficile d'exprimer de l'émotion à travers le larynx artificiel, mais

Oncle Franck pensait qu'Oncle Joseph avait l'impression d'être pris dans un engrenage dont il n'avait pas les moyens de comprendre les rouages.

« Ce n'est pas vrai. On ne peut pas te mettre en prison, se rappelle lui avoir dit Oncle Franck. Tu as un visa. Tu as des papiers. Est-ce que tu leur as dit depuis combien de temps tu viens ici ? »

Oncle Franck demanda ensuite à Oncle Joseph de lui repasser l'agent du CBP.

« Il va partir pour Krome, dit l'agent.

— Ce n'est pas possible, dit Oncle Franck. Il a quatre-vingt-un ans. C'est un vieil homme. »

Oncle Franck demanda alors s'il pouvait parler de nouveau à Oncle Joseph.

L'agent du CBP lui répondit : « Nous avons déjà un interprète pour lui », et il raccrocha.

A 23 heures, on redonna du soda et des chips à mon oncle. A 23 h 45, il signa un formulaire où était déclaré que ses effets personnels lui étaient rendus. Sur la liste du document ne figurent que ses mille neuf dollars et sa montre-poignet de couleur argent. A 1 h 30 du matin, je reçus mon coup de téléphone. A 4 h 20, mon oncle et Maxo furent emmenés dans la zone de rétention de l'aéroport, située dans un autre terminal. Mon oncle avait si froid qu'il s'enveloppa dans une couverture de laine d'une compagnie aérienne qu'on lui donna et il resta ainsi en position fœtale sur un banc de ciment jusqu'à 7 h 15. Vers 7 h 30, ils quittèrent la zone de rétention pour monter à bord d'une camionnette blanche à destination de

Krome. On passa les menottes à Maxo qui demanda que mon oncle ne soit pas menotté à cause de son grand âge. L'agent accepta la requête, mais demanda à Maxo de dire à mon oncle que s'il essayait de s'enfuir, il serait abattu.

Le Bureau des douanes et de la protection des frontières a rédigé un document appelé Instructions discrétionnaires à appliquer aux demandeurs d'asile étrangers, conçu pour aider ses agents à prendre les décisions sur la détention ou la relaxe d'une personne comme mon oncle. Sur cette liste, on trouve des questions telles que : L'étranger présente-t-il une menace pour les Etats-Unis ? A-t-il a un casier judiciaire, des liens avec le terrorisme ou une affiliation à un organisme terroriste ? Risque-t-il de renforcer la population illégale ou présente-t-il quelque autre menace plausible ?

Pour justifier la « nature » de l'inadmissibilité de mon oncle, l'agent Reyes mentionna une recherche positive dans les fichiers d'identification du Central Index System qui contenait une fiche d'immigration à son nom datant de 1984.

Dans les remarques apparaissant sous son nom, il écrivit « Le sujet a un numéro A », c'est-à-dire un numéro d'enregistrement comme étranger *(alien)*. Dans une note plus complète, il écrira plus tard : « Les fichiers du Central Index System ont révélé que le sujet avait un numéro d'enregistrement A (27041999) et que sa fiche montrait des résultats négatifs quant à son statut de résident. Le Central Index System ne contient aucune information sur le sujet sauf son nom, date de naissance et profession en date du 14 février 1984. »

Néanmoins, j'ai le sentiment que mon oncle, en tant qu'immigrant, a été traité selon un principe tendancieux remontant au début des années 1980, lorsque les boat people haïtiens affluaient en masse en Floride. Dans cet Etat, où les réfugiés cubains, dès qu'ils ont réussi à poser le pied sur le continent, sont immédiatement pris en charge et remis à leur famille, les demandeurs d'asile haïtiens sont, de manière discriminatoire, placés en rétention puis expulsés. Alors que les ressortissants du Honduras et du Nicaragua bénéficient d'un statut privilégié depuis presque dix ans, du jour où l'ouragan Mitch frappa leur pays, les Haïtiens ont été renvoyés dans les zones inondées quelques semaines après que le cyclone Jeanne a recouvert une ville entière sous l'eau comme le cyclone Katrina le fit dans certaines zones de La Nouvelle-Orléans. Mon oncle a-t-il été jeté en prison parce qu'il était haïtien ? C'est probablement une question qu'il s'est posée. C'est une question que je me pose encore moi-même. A-t-il été en prison parce qu'il était noir ? S'il avait été blanc, cubain, n'importe quoi d'autre qu'haïtien, l'aurait-on envoyé à Krome ?

« L'âge et l'état de santé sont-ils des facteurs de jugement dans cette situation ? » demandent les Instructions discrétionnaires à appliquer aux demandeurs d'asile étrangers.

En dépit des quatre-vingt-un ans de mon oncle et de son état de survivant d'un cancer de la gorge, ce que sa boîte vocale et sa trachéotomie rendaient évident, à la question de savoir si l'âge et l'état de santé devaient être pris en considération, l'agent Reyes a coché Non.

Le demandeur est-il une personnalité connue?

Non.

Le Congrès ou les médias s'intéressent-ils à son cas?

Non.

Le demandeur a-t-il une raison valable pour entrer sur le territoire des Etats-Unis?

Non.

La raison invoquée par le demandeur pour son entrée aux Etats-Unis est-elle fondée sur une urgence?

Non.

Le demandeur se plaint-il, de façon crédible, d'avoir reçu des informations officielles erronées?

Non.

A-t-il une relation avec un employeur ou avec un résident des Etats-Unis?

Oui.

Tentative de contourner les exigences d'admissibilité?

Non.

Présentation déformée des faits par le demandeur lors de la procédure d'examen?

Non.

Le demandeur serait-il admissible s'il avait un passeport et/ou un visa valide? (Mon oncle avait les deux.)

Oui.

Le demandeur pourrait-il bénéficier d'une exemption par le processus de la liberté conditionnelle ou de la dérogation de visa?

Non.

Demain

Les vicissitudes de mon père se poursuivaient. Il devenait agité, paniquait parfois en voyant qu'il lui était de plus en plus difficile de parler longuement. Son anxiété nous lança dans de nouvelles recherches. Lors de sa consultation mensuelle auprès du docteur Padman, Bob demanda si on pouvait envisager que mon père participe à des programmes de soins expérimentaux et obtint l'adresse d'un pneumologue de l'hôpital Presbyterian de l'université de Columbia au nord de Manhattan.

Mon père eut dès lors un lieu et une date à quoi s'accrocher. Il espérait tant de ce rendez-vous qu'il terminait chacune de nos brèves conversations par cette phrase : « Nous verrons bien ce qu'ils me diront à Columbia. »

Le samedi matin, alors qu'il luttait pour trouver son souffle et rêvait de Columbia, je dus lui dire que son frère était à Krome, un endroit qui, pour lui comme pour tous les Haïtiens, ne représentait rien d'autre que des humiliations et des souffrances pendant une longue période de détention se terminant le plus souvent par une expulsion.

« Alors ainsi, c'est donc vrai », dit-il. Oncle Franck l'avait appelé le soir précédent pour lui dire qu'Oncle Joseph pourrait se retrouver là-bas.

« Je regrette de t'imposer cela, me dit mon père. Tu es enceinte, mais tu es le seul membre de la famille qu'il a là-bas. L'affaire est entre tes mains. »

Je lui dis que Fedo et moi avions déjà téléphoné à plusieurs avocats spécialisés dans les problèmes d'immigration et qu'ils nous avaient tous affirmé qu'on ne pourrait rien faire avant lundi matin.

« Ce qui signifie, me dit mon père, que ton oncle doit passer tout le week-end en prison ? »

Lors de son arrivée à Krome, mon oncle fut mis en rang avec environ une douzaine d'autres détenus et son porte-documents fut fouillé avant de lui être retiré. Un formulaire de l'inventaire du contenu recense un livre religieux broché, sa bible, mille dollars — on l'autorisa à conserver les neuf dollars restants pour acheter des cartes de téléphone —, un billet d'avion, un tube de Fixodent pour son dentier et deux piles de neuf volts pour ses deux boîtes vocales. De nouveau, il n'est fait aucune mention des herbes médicinales ni des cachets qu'il prenait pour sa tension et l'inflammation de sa prostate.

La visite médicale initiale comprenait un examen des fonctions vitales sur toute une journée, une radiographie des poumons et un entretien sur son état

physique et mental. Dans les notes prises par l'infirmière examinatrice, il est décrit comme tranquille,
amical et « déterminé ». A la question « Le détenu
comprend-il et reconnaît-il la signification et les
symptômes de la situation dans laquelle il se trouve ? »,
l'infirmière répond : « Oui », ajoutant ailleurs : « Le
patient utilise un médicament de la médecine tradi-
tionnelle haïtienne pour la prostate & dit que, s'il n'en
prend pas, il pisse du sang & souffre. » Russ Knocke,
un porte-parole de la police de l'immigration et des
douanes des Etats-Unis, fera plus tard référence au
médicament traditionnel de mon oncle en le qualifiant
de manière péjorative de « potion d'apparence vau-
doue ».

A la fin de sa première journée à Krome, la tension
artérielle de mon oncle était si élevée qu'il fut conduit
dans l'unité des courts séjours, un service médical
situé à l'intérieur de la prison. Lui et Maxo furent
séparés.

Je connaissais Ira Kurzban, l'auteur d'un des manuels
sur les aspects juridiques de l'immigration les plus
utilisés aux Etats-Unis, le *Kurzban's Immigration Law
Sourcebook*. Ira a pour clients des immigrants haïtiens
depuis plus de trente ans et a travaillé comme conseiller
juridique auprès des gouvernements de Panama, du
Nicaragua et de Cuba. Il a également été l'avocat de
l'ancien président Aristide. Sur la recommandation d'un
ami commun, j'appelai son bureau le lundi matin de
bonne heure pour lui demander de l'aide.

Je lui expliquai la situation précise et il me répondit aussitôt : « Je vous envoie l'un de mes meilleurs collaborateurs. Vu son âge et son état de santé, nous allons en premier lieu essayer de faire sortir votre oncle dès que possible. »

Peu de temps après qu'Ira eut raccroché, John Pratt, un homme à la voix sévère affectée d'un léger accent traînant du Sud, m'appela.

« Je vais à Krome, maintenant, me dit-il. J'aurais besoin du maximum d'informations dont vous pourriez disposer sur la situation. »

Je lui dis tout ce que je savais. Je n'avais pas pu parler à mon oncle depuis son arrivée, ce qui ne me permettait pas de l'éclairer sur l'état d'esprit ou sur l'éventualité d'une audition auprès d'un agent de Krome, audition qui aurait pour but de juger de la crédibilité des persécutions dont il déclarait avoir été l'objet en Haïti.

« Acceptez-vous de vous occuper de lui si on le relâche ? me demanda Pratt.

— Bien sûr, dis-je.

— Alors tenez bon et restez près du téléphone », me dit-il.

Comme il n'y avait plus qu'à attendre, mon mari partit travailler. J'appelai plusieurs sociétés d'ambulances pour transporter mon père à l'hôpital Presbyterian de Columbia le lendemain. Il lui restait si peu de graisse et de muscle que c'était une souffrance pour lui d'être assis plus de quelques minutes, aussi je voulais avant tout lui louer un lit sur roues.

« La seule façon pour vous d'avoir un lit est d'appeler les urgences sur le 911 », me dit un standardiste russe, alors j'ai loué une camionnette équipée d'un fauteuil réglable.

Toute la matinée, j'ai espéré que John Pratt m'appellerait pour me dire qu'il allait sortir de Krome avec mon oncle, une nouvelle que j'aurais aimé partager avec mon père. Mais, lorsque Pratt m'appela cet après-midi, la seule bonne nouvelle qu'il put m'apporter fut que l'audition de mon oncle sur la crédibilité de ses persécutions aurait lieu le lendemain matin à 9 heures.

« Alors il ne vient pas à la maison ? » dis-je. En prononçant cette phrase, je me rendis compte que le mot « maison » ne convenait pas. Mon oncle n'avait plus de maison à lui.

« Puis-je lui rendre visite ? demandai-je.

— Seules les visites de week-end sont autorisées à Krome, dit-il, et il faudrait qu'il vous mette sur la liste deux jours avant, mais il y a de bonnes chances qu'on le relâche demain. »

Ce soir-là, vers 6 heures, mon oncle me téléphona de Krome.

« Bon dye, m'écriai-je, si contente d'entendre cette voix mécanique. Mon Dieu. C'est si bon de t'entendre.

— Oh, je ne peux pas te dire combien c'est bon de t'entendre », me répondit-il lui aussi.

Puis je plaçai un de ces petits mots affectueux que

j'utilisais avec mon père ces dernières semaines, depuis qu'il était devenu si malade. Je l'appelais cher amour, mon cœur.

« Comment vas-tu, mon cœur?

— M nan prizon, me dit-il.

— Oh, je le sais, dis-je, tout en regrettant sa vraie voix, celle qui n'était jamais la même, celle dont je ne peux plus vraiment me souvenir. Je le sais et je suis si triste. Je suis si triste et navrée pour tout ce qui t'est arrivé en Haïti et ici. Mais as-tu rencontré l'avocat?

— Oui, Maxo et moi l'avons rencontré.

— Il va te faire sortir, dis-je. C'est un très bon avocat. Il va te faire sortir.

— D'accord », dit-il. Il avait eu de telles horribles surprises ces derniers jours, pourquoi croirait-il que les choses allaient commencer à s'arranger maintenant?

« Nèg nan prizon, dit-il. Fò w mache pou wé. » Il faut vivre assez longtemps pour tout voir.

« Ne t'en fais pas, dis-je. Nous allons te sortir de là.

— Ils m'ont pris mes médicaments. » La machine émettait des parasites comme si son doigt avait glissé du bouton qu'il pressait pour faire entendre sa voix. « J'avais aussi quelque chose pour ton père, des vitamines liquides. Ils me l'ont pris aussi. Et mes papiers, mes carnets, tout est parti. Brûlés.

— Ne t'en fais pas pour tout ça, dis-je. Dis-toi que tu vas sortir demain.

— Est-ce qu'il le sait? demanda-t-il. Est-ce que Mira sait que je suis ici? Je ne voulais pas qu'il le sache. Il est tellement malade. Je ne veux pas qu'il se fasse du mouron pour ça.

— Ne t'inquiète pas, dis-je. Il sait que tu vas sortir demain.

— Est-ce que les gens de Haïti le savent ? » Il pensait surtout à ses sœurs, Tante Zi et Tante Tina.

« Je crois qu'ils le savent », dis-je.

Alors, même la voix mécanique trahit une nuance de honte, le genre de honte dont le seul répit est le silence.

« Il faut que je te quitte, me dit-il. D'autres attendent.

— Comment te sens-tu ? lui demandai-je. Si tu ne te sens pas bien, dis-leur.

— Je le ferai, dit-il. Il faut que je te quitte. »

J'entendis une voix étouffée en fond sonore, quelqu'un qui demandait son tour dans la cabine téléphonique.

« Tu es fort, dis-je. Très fort. Tu as même plus de force que tu ne le sais. »

Et à contrecœur il m'approuva : « Oh oui, c'est vrai.

— Contente-toi de bien passer la nuit, dis-je. Demain, si Dieu le veut, tu seras libre. »

Afflictions

De temps à autre mon père citait la Genèse, paraphrasant ses versets favoris sur l'histoire de Joseph, le jeune garçon qui a été chassé et vendu dans un pays ennemi par ses frères. Mon oncle Joseph tenait son nom de l'homme à la tunique arc-en-ciel, mais auparavant je n'avais jamais entendu Papa chercher des parallèles entre la vie de mon oncle et l'histoire biblique.

« Oncle Joseph est dans son Egypte ce matin, dans sa terre d'affliction, dit mon père lorsque nous en parlâmes le lendemain matin peu avant 9 heures.

— Ça se passera très bien pour lui, dis-je. Concentre-toi sur ce rendez-vous à Columbia. »

Tandis que je parlais à mon père, mon oncle attendait avec John Pratt devant un bureau du Service du droit d'asile installé dans une caravane à Krome. Mon oncle s'adressa à l'un des trois autres détenus qui attendaient de passer devant la commission, un Haïtien qui parlait anglais, et lui demanda de dire à Pratt qu'on lui avait pris ses médicaments. Avant que Pratt ait pu répondre, lui et mon oncle furent appelés par la fonctionnaire chargée des demandes d'asile, l'agent Castro, une femme d'une quarantaine d'années. L'interrogatoire allait commencer.

Mon oncle et Pratt étaient assis devant un bureau proche du mur du fond, face à l'agent Castro. Un interprète agréé était nécessaire dans la procédure et comme il n'y en avait pas de disponible sur place, on fit appel à un service d'interprétation par téléphone. L'appareil téléphonique, mis sur haut-parleur, était posé sur le bureau devant mon oncle, à côté des livres de droit de Pratt, des bloc-notes et du matériel divers.

L'interprète avait du mal à comprendre la boîte vocale de mon oncle, aussi l'agent Castro demanda à mon oncle de rapprocher sa bouche du téléphone. Au moment où mon oncle se pencha en avant, sa main glissa de son cou et il laissa tomber sa boîte vocale.

Le compte rendu de l'audience mentionne que mon oncle sembla avoir une attaque. Son corps se raidit. Ses jambes se tendirent droit devant lui. La chaise recula et il se cogna la tête contre le mur. Il se mit à vomir.

Les vomissures lui sortaient de la bouche, du nez, ainsi que du trou de sa trachéotomie. Il en avait sur tout le visage, du front au menton, sur le devant de sa combinaison bleu foncé fournie par Krome, jusque sur les cuisses où une large tache humide montrait qu'il avait uriné sur lui.

« Il faut téléphoner pour demander de l'aide ! »

Pratt sauta de sa chaise et écarta ses papiers qui risquaient d'être souillés.

De son bureau l'agent Castro se précipita vers mon oncle et le saisit par les manches de son uniforme. Elle le tira vers l'avant en lui redressant la tête. Elle attrapa une corbeille à papier et la plaça devant mon oncle. Il continuait à vomir dans la corbeille tout en ouvrant et fermant les yeux qui erraient de-ci de-là dans leurs orbites.

Puis il s'arrêta de rendre et son corps devint rigide et froid. Ses bras retombèrent sans énergie sur le côté. L'agent Castro appela les gardiens qui surveillaient les autres détenus devant son bureau et leur demanda de joindre les services médicaux. Un gardien réclama de l'aide par radio, mais il dit que Krome ne répondait pas et qu'il faudrait sans doute attendre quelque temps avant que les secours arrivent.

L'agent Castro se saisit du téléphone qui se trouvait devant mon oncle pour voir si l'interprète était toujours là. Le téléphone était muet. Elle demanda s'il y avait quelqu'un qui pouvait s'adresser à mon oncle en créole. Le gardien amena le détenu haïtien à qui mon oncle avait parlé de ses médicaments avant d'entrer dans la caravane-bureau. L'homme dit quelques mots à mon oncle, mais n'obtint aucune réaction. Pratt demanda à l'agent Castro d'aller chercher Maxo. Le gardien lui répondit qu'il avait besoin d'une autorisation spéciale de son chef hiérarchique pour faire venir Maxo. Le gardien appela par radio pour qu'on lui donne cette permission.

Un quart d'heure s'était écoulé depuis que mon oncle avait commencé à vomir. Une infirmière agréée et un médecin de l'institution arrivèrent finalement. Pratt se souvenait qu'à ce moment-là mon oncle paraissait « presque comateux, il semblait plutôt inconscient et ne pouvait pas bouger ».

Pratt dit au médecin et à l'infirmière que, juste avant son malaise, mon oncle lui avait déclaré que ses médicaments lui avaient été enlevés. Pratt se tourna alors vers l'agent Castro et lui demanda que mon oncle puisse bénéficier d'une libération conditionnelle à titre humanitaire étant donné son âge et son état de santé.

« Je crois qu'il simule », rétorqua le médecin en coupant la parole à Pratt.

Pour en apporter la preuve, le médecin saisit la tête de mon oncle et la remua de haut en bas. Elle était rigide et non flasque, dit-il. En outre, mon oncle ouvrait les yeux de temps à autre et paraissait le regarder.

« On ne peut pas simuler un vomissement, répliqua Pratt. Cet homme est très malade et ses médicaments n'auraient pas dû lui être retirés. »

Les médicaments lui ont été effectivement retirés, répondit le médecin, suivant en cela les règlements de l'établissement, et d'autres lui ont été fournis en remplacement.

Le médecin et l'infirmière sortirent mon oncle du bureau et le placèrent sur un fauteuil roulant dans le couloir.

Lorsque Maxo arriva, il courut vers son père et, le voyant affalé dans le fauteuil roulant, se mit à pleurer. Hormis un occasionnel battement des paupières, aux yeux de Maxo son père paraissait inconscient. La première chose qu'il voulut faire fut de laver le visage de son père. Bien que mon oncle fût en situation de détresse, Maxo savait que, sous les souillures visqueuses et les morceaux de nourriture mal digérée, cet homme très fier se sentirait humilié par son apparence.

« Il ne serait pas comme ça si on ne lui avait pas pris ses médicaments, dit Maxo en sanglotant.

— Il simule, répéta le médecin. Il n'arrête pas de me regarder. »

Le médecin se tourna alors vers Pratt et lui dit que ses nombreuses années d'expérience à Krome lui permettaient aisément de ne pas se tromper dans des cas comme celui-ci.

« S'il vous plaît, laissez-moi seulement le nettoyer », dit Maxo en sanglotant.

Le médecin lui dit qu'on avait fait appel à lui uniquement pour aider son père à communiquer avec eux. « Si vous ne pouvez pas nous aider, alors nous vous renverrons.

— Il ne peut pas parler sans sa boîte vocale », dit Maxo. Couverte de vomi, la machine ne fonctionnait plus.

Au cours de cette conversation, Maxo crut voir les yeux de son père battre un peu plus. Peut-être pouvait-il les entendre ? Peut-être allait-il un peu mieux, surmontait-il ce qui l'avait terrassé ?

Maxo exhorta son père : « Papa, s'il te plaît, essaye de bouger. Ils te laisseront peut-être partir. »

Mon oncle ouvrit les yeux et les dirigea vers Maxo. Il leva les mains de ses genoux, mais elles retombèrent mollement. Maxo crut comprendre qu'il tentait de prononcer : « M pa kapab. »

Les yeux de mon oncle restaient ouverts, mais ils paraissaient troubles et d'une étrange immobilité, fixés sur quelque chose au-delà de Maxo, des gardiens, du médecin, de John Pratt et de tous ceux qui l'entouraient.

« Il ne se montre pas coopératif », dit le médecin. Pendant quelques instants, Maxo ne sut pas trop si le médecin parlait de lui ou de son père.

« Ses yeux sont ouverts et il n'est pas inconscient, ajouta-t-il. Je crois qu'il continue à simuler, mais nous allons l'emmener à la clinique. »

Une civière fut apportée sur laquelle on plaça mon oncle.

Pratt demanda à l'agent Castro s'ils pouvaient poursuivre à la clinique l'interrogatoire sur la crédibilité des persécutions.

Non, lui dit-on. C'est contraire au règlement.

J'étais au téléphone avec le service de transport médicalisé qui emmenait mon père à Columbia lorsque John Pratt appela pour me dire que mon oncle était tombé malade. Je m'attendais à une bonne nouvelle, à une nouvelle magnifique même. Avant que Pratt ait pu dire un mot, je voulus lui demander :

« Où est-ce que je dois aller ? Que puis-je faire pour aller le chercher ?

— Votre oncle est tombé malade pendant l'audition sur sa demande d'asile. » La voix ferme de Pratt s'en trouvait bouleversée. On pouvait même y percevoir une nuance d'horreur.

« On l'a emmené à la clinique de Krome, dit-il. Je suis dans l'entrée et j'attends de voir si nous pouvons poursuivre l'interrogatoire dans quelque temps. M. Kurzban appelle le bureau au district de Miami pour voir si votre oncle pourrait bénéficier d'une libération conditionnelle à titre humanitaire. »

Plus tard dans la matinée, dans le service médical de Krome, l'état de santé de mon oncle s'aggrava et, selon les documents conservés à Krome, il fut transporté à Miami, au Jackson Memorial Hospital, avec les pieds entravés. Ce matin-là, mon père sortit de chez lui pour la première fois depuis neuf semaines. C'était une journée d'automne au froid vif et les arbres avaient déjà perdu la plupart de leurs feuilles. En filant sur la Prospect Expressway en direction de Manhattan, mon père ressentait dans ses os chaque arrêt, chaque virage, toutes les secousses et les cahots du trajet. Malgré tout, entre deux quintes de toux, il dit à ma mère et à Bob : « Au moins, je suis dehors. »

Etre dehors fut le seul bénéfice que mon père tira de cette visite. Le pneumologue qui le vit lui fit retirer sa chemise, écouta sa respiration difficile et lui demanda s'il avait signé un DNR [*Do not ressuscitate*, un refus de l'acharnement thérapeutique].

Mon père demanda à Bob en créole : « Qu'est-ce qu'un DNR ?

— C'est un papier qui dit que si tu meurs, tu ne veux pas qu'on te réanime, qu'on te maintienne en vie avec des machines, lui expliqua Bob.

— Non, dit mon père au médecin. Je ne veux pas qu'on me maintienne en vie avec des machines. La souffrance a assez duré. »

Laissez tomber les étoiles

Le dossier médical de mon oncle indique qu'il est arrivé au service des urgences du Jackson Memorial Hospital vers 13 heures en provenance de Krome avec une perfusion intraveineuse. A 13 h 10 une infirmière prit son pouls (80), sa température (36,1°C), sa tension (169/78), et nota ces résultats. A 14 heures, il signa, apparemment d'une main ferme, un formulaire d'agrément qui déclarait : « Je, soussigné [il n'avait pas rempli l'espace qui suivait] accepte tous les examens, traitements de toute nature nécessaires à l'étude, au diagnostic et au traitement de ma(mes) maladie(s) par le personnel médical et autres agents et/ou employés de l'Etablissement de Santé Publique du Jackson Memorial Hospital et de l'Ecole de médecine de l'Université de Miami, y compris les étudiants en médecine. »

A 15 h 24, on procéda au prélèvement de sang et d'urine. L'analyse de ses urines mit en évidence la présence de sang en faible quantité et de glucose à un taux élevé. Sa numération globulaire révéla un nombre de globules blancs supérieur à la normale, ce qui pouvait être l'indication d'une infection. L'analyse montra aussi une valeur élevée de bilirubine, signe d'un dysfonctionnement de la vésicule biliaire et du foie.

A 16 heures, à l'occasion d'un examen plus approfondi effectué par l'infirmière, il se plaignit de douleurs abdominales aiguës, de nausées et de perte d'appétit. Une nouvelle injection intraveineuse fut faite. Suivirent une radio de la poitrine et une radiographie de l'abdomen sans préparation (ASP), ce qui permit d'éliminer la possibilité d'une pneumonie ou d'une occlusion intestinale.

A 17 heures, il fut transporté dans le pavillon D de l'hôpital, celui de la prison. Dans sa note d'admission, également rédigée par une infirmière diplômée, on trouve les mentions suivantes : « Pas de douleur aiguë, ambulatoire. A hydrater par intraveineuse et réexaminer. Patient sous étroite surveillance. »

Une fois arrivé au pavillon D, où les visites des avocats et des membres de la famille n'étaient pas autorisées, et où les prisonniers étaient attachés pour éviter toute tentative d'évasion afin de protéger le personnel, les gardiens et les prisonniers entre eux, ses pieds furent probablement entravés une fois de plus, tout comme ils l'avaient été, selon les archives de Krome, durant le transfert en ambulance. A 22 heures, on lui fit une autre intraveineuse, heure à laquelle l'infirmière de service nota : « Repose calmement. » Il devait être maintenu sous observation et suivi attentivement, ajouta-t-elle.

Ses fonctions vitales furent de nouveau vérifiées à minuit, puis à 1 heure et à 7 heures le lendemain, alors que sa température était de 35,5°C, son pouls à un rythme dangereux de 114 pulsations par minute et sa tension artérielle à 159/80. A 9 heures, on lui fit une autre intraveineuse et on lui donna 5 mg de Vasotec pour faire baisser sa tension. A 11 heures, son pouls était redescendu à 102 battements par minute, ce qui demeurait dangereusement rapide pour un homme de quatre-vingt-un ans présentant de tels symptômes.

Les documents conservés par l'administration hospitalière montrent qu'il fut examiné pour la première fois par un médecin à 13 heures, soit exactement vingt-quatre heures après avoir été amené au service des urgences. Le médecin, le docteur Hernandez, prit note des résultats des examens, à savoir le taux élevé de globules blancs, donné par la numération globulaire, et des enzymes du foie, ainsi que la persistance de ses douleurs abdominales. Il ordonna alors un examen de l'abdomen par échographie qui fut effectué à 16 h 56. L'échographie montra la présence d'un liquide intra-abdominal autour du foie et d'une bile épaisse dans sa vésicule biliaire. Avant l'examen, on lui présenta un autre formulaire d'agrément qu'il signa d'une manière moins lisible que le premier, à côté d'un cachet de l'hôpital qui disait « PATIENT INCAPABLE DE SIGNER ».

A 19 heures, après avoir passé plus de vingt-quatre

heures sans alimentation avec des injections intraveineuses sans sucre, mon oncle suait abondamment et se
plaignait de faiblesses. On découvrit qu'il souffrait
d'hypoglycémie, avec un taux de sucre dans le sang de
42 mg/dl, inférieur à la normale. Le médecin de
service ordonna de placer un goutte-à-goutte de
dextrose à 5 % et, vingt minutes plus tard, le glucose
sanguin de mon oncle se stabilisa à 121 mg/dl. Il fut
alors noté qu'il était éveillé et alerte, et que ses réactions mentales étaient « pertinentes ».

A 19 h 55, son pouls augmenta de nouveau, atteignant cette fois un rythme de 110 pulsations par
minute. On lui fit un électrocardiogramme à 20 h 16.
L'information suivante portée sur le document nous
apprend qu'il fut trouvé sans pouls ni réaction par un
gardien à 20 h 30. Il n'existe aucune précision sur les
seize minutes qui s'écoulèrent entre le moment où on
découvrit qu'il n'avait aucune réaction et celui où il
fut déclaré mort à 20 h 46. Quelques mots griffonnés
à la hâte mentionnent qu'on avait procédé à une
réanimation cardio-pulmonaire (RCP) et une prise en
charge avancée des détresses cardiaques (ACLS)
« poursuivie pendant 11 mn ».

Hormis l'épisode de son cancer de la gorge, mon
oncle avait failli mourir en une autre occasion. C'était
pendant l'été de 1975 et j'avais six ans. Il fut frappé
par une crise de paludisme. Fièvre, frissons, nausée et
diarrhée l'avaient envoyé chez son médecin qui l'avait
hospitalisé.

Je ne l'avais pas vu depuis plusieurs jours lorsque Tante Denise nous emmena, Nick, Bob et moi à l'hôpital pour lui rendre visite. Quand nous entrâmes dans sa petite chambre privée, il était couché en boule, en position fœtale, et bien qu'enveloppé dans plusieurs couvertures, il tremblait de tout son corps. Son visage était terreux, gris et ses yeux couleur maïs.

« Les enfants sont ici », lui avait dit Tante Denise.

Il paraissait ne pas nous voir. En grognant, il ferma les yeux comme pour les protéger de la douleur qui lui envahissait le reste du corps. Quand il rouvrit les yeux, il nous regarda comme s'il se demandait ce que nous faisions là.

« J'ai amené les enfants, répéta Tante Denise. Tu voulais les voir. »

Il regarda chacun d'entre nous avec circonspection, puis dit : « Ti moun », enfants.

« Wi », avons-nous répondu en chœur avec nos petites voix de cinq et six ans.

En regardant Nick, mon oncle dit : « Maxo, je serai triste de mourir sans te revoir. » Puis en se tournant vers Bob, il lui dit : « Pas vrai, Mira ? »

Il m'appela Ino, le nom de sa sœur décédée.

« Ino sait que j'ai raison », dit-il. Puis en fermant les yeux une fois de plus, il ajouta : « Kite zetwal yo tombe. » Laissez tomber les étoiles.

Tante Denise interpréta ces mots comme une plainte exprimée à haute voix. Elle nous prit par la main et nous écarta du lit.

« Il va très mal, gémit-elle. Mon mari va mourir. Il ne parle que de personnes qui ne sont pas là. »

Le fait que mon oncle ait demandé de laisser les étoiles tomber n'avait pas laissé Tante Denise indifférente, car elle croyait — et elle nous avait préparés à l'accepter — que, chaque fois qu'une étoile tombait du ciel, cela signifiait que quelqu'un était mort.

Je n'ai pas regardé le ciel quand mon oncle est mort au Jackson Memorial Hospital, mais il se peut qu'une étoile soit tombée pour lui.

Pensant, comme on l'avait dit à Pratt, que mon oncle avait été uniquement soumis à des examens et mis en observation, j'ai passé la journée à attendre qu'on abandonne toute poursuite contre lui et qu'on le libère. Mais, tard dans l'après-midi, j'eus un terrible pressentiment et me mis à appeler frénétiquement l'hôpital jusqu'au moment où je pus avoir en ligne une infirmière du pavillon D, réservé aux détenus.

Mon oncle se reposait, me dit-elle, mais elle ne pouvait pas m'autoriser à lui parler parce que tout contact avec des prisonniers, même par téléphone, devait être visé par l'autorité responsable de leur détention, c'est-à-dire, dans le cas de mon oncle, par Krome. Pendant que Pratt tentait d'obtenir un droit de visite auprès des supérieurs de Krome, j'essayais d'obtenir de l'infirmière le droit de parler à mon oncle. Mais ni lui ni moi n'avons réussi à obtenir quoi que ce soit, même après sa mort.

Lorsqu'un ami intime de Maxo, que celui-ci avait appelé de Krome en utilisant le seul appel qu'on l'autorisait à passer, me téléphona pour m'apprendre la nouvelle, j'appelai de nouveau le pavillon D pour demander s'il était vrai qu'un Haïtien du nom de Joseph Dantica venait d'y mourir. L'homme qui me répondit aimablement me dit : « Appelez Krome. » Et quand j'ai effectivement téléphoné à Krome, pensant qu'il me fallait obtenir une réponse officielle avant de transmettre la nouvelle à ma famille, un autre étranger me dit qu'il me faudrait réessayer le lendemain matin.

Il était alors presque minuit.

« Ne dis rien à ta famille maintenant, me dit mon mari en me berçant alors que je sanglotais dans ses bras. Au moins laisse-leur passer une bonne nuit de sommeil. »

Nous restâmes éveillés une bonne partie de la nuit, en déambulant ici et là, moi avec mon gros ventre et cette horrible nouvelle qu'ignoraient encore ceux qui aimaient le plus mon oncle. Certains, comme mon père, priaient vraisemblablement pour sa libération et sa guérison. D'autres, comme ses sœurs en Haïti, devaient certainement s'inquiéter, s'angoisser même, sans toutefois s'attendre à ce dénouement particulièrement déchirant.

En attendant l'aurore, nous avons réorganisé la pièce où mon oncle aurait dû séjourner, en enlevant les tableaux des murs et en ôtant du lit les draps où il devait dormir. Alors que nous glissions le lit d'un côté de la chambre à l'autre, je me faisais du souci pour mon père. Survivrait-il au traumatisme ? En plaçant de nouveaux rideaux aux fenêtres, après que mon mari

s'était effondré dans le lit, je m'inquiétais également
pour ma fille. Ce stress, mon sommeil trop bref, le
poids de toutes ces choses que j'avais soulevées et
reposées, prises et remises dans les armoires en me
baissant au milieu d'une nuit si douloureuse pou-
vaient-ils l'affecter ?

Le lendemain matin, mon premier coup de téléphone fut pour Karl qui passa les appels suivants avec
moi en audioconférence. Nous appelâmes Oncle
Franck qui gémit haut et fort au téléphone, puis ma
mère qui, comme toujours, fut la plus posée.

Mieux valait que Bob et Karl aillent parler de vive
voix à mon père, nous dit-elle.

Mon père était au lit, affaibli mais calme après une
nouvelle nuit sans sommeil, quand ils lui annoncèrent
la nouvelle. Pendant quelques instants, il demeura immobile, puis repoussa la tête en arrière, leva les yeux
vers le plafond et se tourna de nouveau vers ma mère
et mes frères. Il ne dit pas un mot. Peut-être le choc
l'avait-il rendu sans réaction. Il ne parut pas surpris
non plus, dit ma mère. On aurait dit, ajouta-t-elle,
qu'il le savait déjà.

Mon frère, je te verrai bientôt

Bien que nous ayons concentré presque tous nos efforts sur la libération de mon oncle avant de nous attaquer au cas de Maxo que nous avions imaginé beaucoup plus délicat, ce dernier fut libéré de Krome pour les obsèques de son père. Lorsqu'il appela un des amis de mon oncle à Port-au-Prince pour préparer les funérailles, on lui conseilla de ne pas rapporter le corps en Haïti. La nouvelle de la détention et de la mort de mon oncle s'était déjà répandue à Bel Air et les gangs se réjouissaient, tout en jurant de lui faire subir dans la mort ce qu'ils n'avaient pas pu lui faire de son vivant : le décapiter.

« Ils ne veulent pas qu'il revienne en Haïti, cria Man Jou d'une voix forte dans le téléphone. Ni vivant ni mort. »

En même temps, Maxo rechignait à enterrer son père aux Etats-Unis, un pays qui l'avait si brutalement rejeté. Il se sentait aussi tenu d'accomplir le vœu de son père, reposer dans le caveau familial aux côtés de Tante Denise.

L'incinération représentait pour moi le seul choix.

« Quand la situation sera plus calme, dis-je à Maxo, nous pourrons tous aller enterrer ses cendres dans son pays aux côtés de Tante Denise. »

Les convictions religieuses de mon oncle ne le permettaient pas, me dit Maxo.

« Le jour du jugement dernier, ajouta-t-il, lorsque les morts se lèveront de leur tombe, nous voulons que son corps soit là. »

Le jour du jugement dernier, mon oncle se souciera-t-il de l'endroit d'où il se lèvera ?

Le souvenir d'enfance d'Oncle Joseph le plus obsédant, et le seul qu'il m'ait jamais raconté dans tous ses détails, remontait à l'année 1933, alors qu'il avait dix ans. L'occupation par les troupes américaines tirait à sa fin. Craignant que son fils puisse être fait prisonnier par les Américains et envoyé de force dans les camps pour construire des ponts et des routes, mon grand-père, Granpé Nozial, lui interdit formellement de descendre de la montagne et quitter Beauséjour. Oncle Joseph ne devait même pas accompagner sa mère, Granmé Lorvana, au marché, de façon à ce qu'il ne puisse pas apercevoir les Marines occupant le pays, ou qu'eux puissent le voir.

Quand Granpé Nozial partait de chez lui pour aller au combat, il ne révélait jamais à mon oncle et à ses sœurs, Tante Ino et Tante Tina, où il allait. (Les autres membres de la fratrie, dont mon père, n'étaient pas encore nés.) Granmé Lorvana leur disait cependant que leur père allait se battre quelque part, dans une autre région du pays. Elle leur racontait aussi que les Américains avaient le pouvoir de prendre la forme de Galipòt, le légendaire cheval à trois pattes qui, quand il trottait, faisait le même bruit que des soldats bottés marchant au pas. Galipòt était aussi connu pour confondre les enfants avec sa quatrième patte et ainsi les pourchasser et les emporter.

Malgré tout, mon oncle et ses sœurs ne devaient jamais laisser croire qu'ils connaissaient l'endroit où se trouvait leur père. Si un adulte venait à leur demander un jour où était Granpé Nozial, ils étaient censés le tromper en disant qu'il était mort et l'envoyer interroger directement Granmé Lorvana. Mais lorsque Granpé Nozial revenait de ses voyages, ils ne devaient lui poser aucune question. Ils devaient au contraire faire comme s'il n'était jamais parti, comme s'il était tout le temps resté avec eux. C'est la raison pour laquelle ils savaient si peu de chose sur les activités de Granpé Nozial pendant l'occupation américaine. Et c'est pour cela que j'en sais si peu aujourd'hui.

Un jour où Granpé Nozial était absent et où Tante Ino et Tante Tina tombèrent malades, Granmé Lorvana n'eut d'autre solution que d'envoyer mon oncle à un marché au pied de la montagne. Oncle Joseph suivit la route que sa mère lui avait indiquée, mais ce qu'il redoutait le plus était de tomber sur Granpé Nozial qui l'avait menacé de toutes sortes de châtiments corporels si jamais il le rencontrait sur la route partant de Beauséjour.

Lorsque mon oncle arriva finalement au marché à midi, après de longues heures de marche, il vit à l'entrée de la barrière de bambous un groupe de jeunes hommes blancs chaussés de hautes bottes noires et vêtus de kaki. Il y avait peut-être six ou sept hommes, et ils semblaient donner des coups de pied dans quelque chose qui se trouvait au sol. Mon oncle n'avait jamais vu d'hommes blancs auparavant et leur peau rose et pâle donna quelque crédit aux propos de sa mère qui pensait que les Blancs avaient la po lanvé, la peau à l'envers, de telle sorte que s'ils n'avaient pas porté de vêtements épais, on aurait pu leur voir les entrailles.

Alors que mon oncle approchait du petit groupe, ainsi que des marchands et de leurs clients plus nombreux encore qui, horrifiés, se tenaient la tête, les hommes blancs lui parurent particulièrement agités. Riaient-ils ? Hurlaient-ils dans une autre langue ? Ils n'arrêtaient pas de donner des coups de pied dans cette chose au sol, qui, comme un ballon de football, rebondissait sur la pointe arrondie de leurs souliers. En s'avançant à petits pas mesurés, pour demeurer à la même distance que les autres spectateurs, mon oncle vit finalement ce qu'était cette chose : la tête d'un homme.

La tête avait des cheveux clairsemés et noirs. Du sang s'écoulait du cou sectionné, formant des bulles poussiéreuses rouges sur le sol. Soudain, mon oncle comprit pourquoi Granpé Nozial et Granmé Lorvana voulaient qu'il reste à la maison. A cette époque, comme maintenant, le monde à l'extérieur de Beauséjour était vraiment dangereux.

Oncle Franck arriva en avion de New York le lendemain pour aider à la préparation des obsèques.

« Mira et moi pensons qu'il devrait être enterré à New York », dit-il.

Nous étions en route pour le funérarium au nord de Miami où le corps de mon oncle avait été transporté après une autopsie au bureau du médecin légiste. Celui-ci avait établi que mon oncle était mort d'une pancréatite aiguë et chronique, une maladie dont il s'avère qu'il n'avait jamais eu le moindre symptôme avant de tomber malade à Krome et qui n'avait jamais été dépistée, détectée par aucune analyse, diagnostiquée ni traitée quand il était au Jackson Memorial Hospital.

L'avantage de funérailles à New York, nous expliqua Oncle Franck sur le chemin de la morgue de Miami, était que mon père serait susceptible d'y assister. En outre, après être venu en visite pendant plus de trente ans, mon oncle avait quantité d'amis à Brooklyn. C'était le second meilleur choix après Port-au-Prince.

Quand nous arrivâmes au funérarium, Maxo demanda à voir le corps de son père. Le directeur était réticent, mais Maxo insista.

« J'ai besoin de le voir, dit-il. J'ai absolument besoin de le voir.

— Beaucoup de gens pensent qu'ils veulent voir un corps, dit le directeur, mais ils découvrent alors que c'est trop pour eux, surtout aussitôt après une autopsie.

— Je m'en fiche, dit Maxo qui paraissait réagir comme un enfant réclamant une faveur à un adulte. Je veux le voir.

— Bon, d'accord. » Le directeur s'avoua vaincu. C'était un grand homme svelte, à la peau couleur caramel, portant une chemise et une cravate aux tons pastel. Il prenait sa veste posée sur le dossier de son fauteuil pivotant et la mettait chaque fois qu'il se levait, puis la retirait quand il se rasseyait.

« Je vous autorise à le voir, dit-il en se saisissant de sa veste, mais nous ne pouvons pas vous emmener dans la pièce où se trouvent les autres corps. Nous devons les respecter. Nous devons aussi vous demander de parler à voix basse et de ne pas jurer. Ici nous traitons les morts avec respect comme s'ils étaient toujours en vie. »

Il aurait dû être à l'aéroport avec mon oncle, ai-je alors pensé, à Krome quand le médecin militaire lui a tordu le cou, baissé et levé la tête, à Jackson où, peut-être parce que c'était un prisonnier – un prisonnier étranger et, qui plus est, un Haïtien –, il avait été soigné de façon déplorable, étant donné son âge et son état de santé, ce que la plupart des médecins à qui moi et d'autres avons montré son dossier médical ont reconnu.

« Vous ne devriez pas être ici, dit le directeur en pointant mon ventre du doigt. Vous portez une vie en vous. Votre place n'est pas avec les morts.

— Mais je vais aux obsèques », dis-je.

Ce que je voulus dire en réalité était que les morts et la vie nouvelle étaient déjà liés dans mon sang, en moi. Malgré tout, j'acceptai de ne pas voir tout de suite le corps. En outre, c'est bien avant que j'aurais dû voir mon oncle, des heures, des jours, des semaines auparavant, quand cela aurait pu faire une différence, quand cela nous aurait soulagés, l'un comme l'autre.

On apporta le corps sur un chariot dans une pièce voisine du bureau du directeur. Maxo et Oncle Franck y suivirent le directeur, en laissant la porte entrouverte. Luttant contre l'envie de jeter un coup d'œil furtif par l'entrebâillement, de voir mon oncle une dernière fois, je restai assise le dos tourné à la porte. Je pensais à Granmé Melina qui s'était éteinte dans son sommeil dans la chambre en face de moi quand j'étais encore enfant, à Tante Denise allongée nue sur une table de métal dans la morgue de la rue de l'Enterrement, et je m'émerveillais de la relative sérénité de ces moments. Il n'y avait assurément rien à craindre. Parmi les nombreuses manières dont la mort pouvait transformer l'amour dont les vivants avaient fait l'expérience, l'une d'elles ne devrait pas être la crainte.

Il me fallait voir mon oncle immédiatement. Pourquoi ne le pourrais-je pas? En me tournant, je pris une position qui me permettait de le voir. Des jambes aux hanches, il était couvert d'une sorte de bâche bleue. Sur son visage qui n'était pas rasé, on avait appliqué une fine couche de crème blanche qui, selon les explications données par le directeur, était censée empêcher la peau de se rétracter. En divers endroits de sa poitrine apparaissaient des marques à angle droit portant des traces de colle, vraisemblablement à l'emplacement des adhésifs retenant les fils de l'électrocardiographie. Après l'autopsie, on avait recousu le devant du corps avec un cordon gris allant du cou au bord de la bâche bleue. L'orifice de sa trachéotomie avait été rebouché. Sa tête avait également été cousue par le milieu, d'une oreille à l'autre, mais avec un fil plus fin, presque transparent.

Mon oncle n'avait pas l'air résigné et serein comme la plupart des morts que j'avais vus. Peut-être cela venait-il de ses lèvres qui avaient gonflé et doublé de volume. On aurait dit qu'on l'avait bourré de coups de poing. Il paraissait aussi anxieux et sous le choc, comme s'il avait fait un terrible cauchemar.

Quand fut-il conscient pour la dernière fois? me demandais-je. Quelles furent ses dernières pensées? Quand se rendit-il compte qu'il allait mourir? A-t-il eu peur? A-t-il pensé à l'ironie de mourir prisonnier de ce même gouvernement qui avait occupé son pays au moment de sa naissance? Par la force des choses, il était entré dans le monde et en était sorti sous le même drapeau. Jamais réellement souverain, comme son père l'avait rêvé, jamais vraiment libre. Qu'aurait-il pensé si on lui avait dit qu'il serait enterré ici? Ne cesserait-il pas, comme dit l'expression, de se retourner dans sa tombe ?

Mon oncle se ressemblait encore moins le jour de ses obsèques à New York. Habillé d'un smoking tout neuf, il avait tant de fond de teint couleur aubergine sur le visage qu'il semblait porter un masque qui ne lui allait pas. Mais c'est mon père qui créa la plus forte commotion quand il entra dans l'église qu'il avait fréquentée pendant plus de trente ans. Traînant une bouteille d'oxygène derrière lui, il haletait en se dirigeant vers le cercueil de mon oncle. Il était squelettique, un véritable bonhomme bâton. Depuis quelque temps, il avait été incapable d'assister aux offices et la plupart de ses amis, ceux qui n'étaient pas venus le voir chez lui, n'avaient pas été témoins du délabrement progressif de sa santé.

Debout devant le cercueil de mon oncle, mon père tira un peu sur le tube d'oxygène dans son nez. Il était en sueur et vacillait sur ses jambes. Mes trois frères l'entouraient, formant un demi-cercle autour de lui, prêts à le rattraper s'il venait à tomber d'un côté ou de l'autre.

Tapotant la joue de mon oncle, comme pour le faire revenir à lui après un évanouissement, mon père dit simplement : « Mon frère, la dernière fois que nous nous sommes parlé, tu m'as dit que tu me quittais le cœur gros. Aujourd'hui, c'est moi qui te quitte le cœur gros. Nous ne nous verrons plus sur cette terre, mais je te verrai bientôt. »

Mon oncle fut enterré dans un cimetière à Queens, à New York. Sa tombe est située près d'une grand-route et domine les rues de Cyprus Hills et les lignes du métro au-dessus. Au cours de sa vie, mon oncle n'a jamais voulu quitter sa maison, résolu à y demeurer coûte que coûte. Il était resté à Bel Air, en partie parce que c'était ce qu'il connaissait. Mais il avait aussi espéré y faire du bien. A présent il était exilé dans sa mort. Il deviendrait une part du sol d'un pays qui n'avait pas voulu de lui. Cette situation hantait mon père plus que tout.

« Il ne devrait pas être ici, dit ce soir-là mon père, en pleurs, agité et sans souffle, peu avant de sombrer dans le sommeil. Si jamais on donnait une chance à notre pays et qu'on lui permettait d'être un pays comme n'importe quel autre, aucun d'entre nous ne viendrait vivre ou mourir ici. »

Transition

Dans le processus de l'accouchement, il est une étape du travail qu'on appelle la phase de transition, lorsque le bébé, qui s'apprête à se séparer de la mère, change de position et se tourne pour s'engager dans le col dilaté et le canal vaginal. Je suis certaine qu'il existe une phase similaire pour sortir de la vie, bien qu'elle puisse être moins marquée. Cependant, au moment où je commence le travail — heureusement avec un placenta en position haute —, je souhaite à plusieurs reprises que la transition s'effectue aisément, pour ma fille et pour moi, et à chaque fois j'exprime le même souhait pour mon père.

Notre sage-femme, Colleen, m'encouragea à ajouter une touche personnelle à la salle de travail couleur lavande de la maternité, aussi ai-je apporté deux anciennes photos, une de ma mère et une de mon père. Sur la sienne, mon père est un beau jeune homme de vingt-six ans au regard sérieux. Il porte une veste de couleur pâle, une chemise à col haut, une cravate étroite et des lunettes à monture d'écaille. Ma mère, sur la sienne, porte un corsage à carreaux avec un énorme bouton sur le devant. Ses cheveux sont décrêpés et son visage rond est encadré de petites boucles d'oreilles en forme d'étoiles. Lorsque Colleen a vu la photo de ma mère, elle a pensé que c'était une photo de moi.

De temps à autre, je regardais les visages couleur sépia de mes parents pendant les seize heures durant lesquelles j'ai marché, me suis allongée, suis restée dans une baignoire, me suis assise sur une balle, dans les toilettes, sans jamais cesser de souffrir le martyre. Comment ma mère a-t-elle pu endurer cela quatre fois ? me demandais-je.

Un jour, ma mère m'a brièvement raconté l'histoire de ma naissance. J'ai failli naître dans une cour caillouteuse, devant le service de maternité de l'Hôpital général de Port-au-Prince. Mon père avait quitté la ville pour son travail et ma mère, farouchement indépendante, fière et seule, faisait partie d'une dizaine de femmes qui se tordaient de douleur et gémissaient dans la cour. Elles étaient beaucoup trop pour le nombre de médecins disponibles. Pas une seule ne fut examinée avant que la tête de leur bébé n'apparaisse.

Durant ses quatre heures de travail actif, ma mère s'efforça de ne pas souhaiter mourir. Elle perdit conscience à plusieurs reprises avant qu'un médecin finisse par faire son apparition et l'envoie précipitamment en salle de travail.

Lorsque ma fille est née, son visage teinté de sang, ses paupières gonflées marquées de minuscules taches roses que Colleen appelait des baisers d'ange, son corps enroulé sur lui-même comme pour faire écho à ses petits poings serrés, je ne pus m'empêcher d'interpréter ce moment comme une des nombreuses séparations à venir. Ma fille quittait mon corps et partait dans le monde où elle allait passer le reste de sa vie en s'éloignant de moi.

Sonnée et épuisée, je demandai à Colleen : « Est-ce normal que je pense à de telles choses ?

— Vous êtes peut-être une de ces femmes qui aiment être enceintes ? » me répondit-elle.

Ce n'était pas tant que j'avais aimé être enceinte. J'appréciais simplement le fait que pendant quelque temps ma fille et moi avions été inséparables.

En regardant son visage minuscule, les lèvres ourlées si rouges que son père disait qu'elle semblait avoir du rouge à lèvres, je me suis souvenue d'un message qu'une amie m'avait envoyé à l'occasion de la naissance de ma première nièce, Nadira, la fille de Bob, et de mon premier neveu, Ezekiel, le fils de Karl.

« Peut-être seras-tu un repozwa, m'avait-elle écrit, un lieu où les enfants pourront se reposer. »

J'avais moi-même besoin de me reposer, mais je voulais aussi parler à ma fille, la bercer, chanter pour elle, respirer son odeur où se mêlaient le sang et le savon, l'observer quand elle entrouvrait les yeux et fermait la bouche en tentant de donner un sens à tous ces nouveaux sons qui l'entouraient : le rire de mon mari, les comparaisons de ma belle-mère avec des parents, vivants ou morts.

Je pensais qu'elle avait surtout les traits de ma mère et montrais du doigt la photo pour le prouver. Mais j'y vis aussi des traces de mon père qui, selon ma mère, avait eu trop peur pour nous prendre dans ses bras, moi et mes frères, mais qui plus tard prendrait les enfants de mes frères, en riant et en chantant avec eux. J'avais de la peine pour Oncle Joseph et Tante Denise qui n'auront jamais conu ma fille et pour mes cousins haïtiens, dont Richard, le fils de Tante Zi, qui ne la verraient peut-être jamais. A moins qu'elle ne retourne un jour à Léogâne ou à Bel Air pour leur déclarer avec un fort accent qu'ils sont bien sa famille.

Elle pourrait être honorée par leurs hochements de tête ou leur reconnaissance, par cette manière dont ils seraient contraints d'accepter cette filiation : « Bien sûr, bien sûr, je vois la ressemblance. Tu ressembles bien à nos arrière-grand-mères par les joues. Tu as bien le haut front de la lignée de ton grand-père. » Et on peut espérer que ces joues et ce front en forme de calebasse lui assureraient son droit d'entrée dans la famille.

En regardant les yeux de ma fille, je repensais à ma mère qui avait dû affronter ces premières heures seule après ma naissance. On ne lui avait fait aucune promesse, on ne lui avait offert aucune garantie qu'elle ou moi pourraient même survivre à cette nuit-là. Si quelque chose s'était brisé en elle, personne ne l'aurait remarqué. Si quelque chose s'était cassé dans le corps du nouveau-né que j'étais, sans doute personne d'autre que ma mère ne s'en serait soucié. La première nuit de ma fille, tranquille mais étroitement surveillée, était peut-être celle dont ma mère avait rêvé pour moi, pour elle-même, un rêve de mots doux, de baisers, de fleurs.

« Comment avez-vous décidé de l'appeler ? » me demanda Colleen.

Mon mari et moi en avions parlé. Il ne semblait pas y avoir d'autre choix.

« Mira, dis-je. Pour mon père. »

Après avoir patiemment attendu son tour pour la tenir dans ses bras, mon mari tendit la main. Je répugnais aussi à voir cette Mira partir. J'espérais bien avoir une vie entière à vivre en continu avec elle, pensais-je, une vie pour planter certaines choses qui ont été déracinées en moi et en déraciner d'autres qui avaient été plantées. Mais je l'ai bel et bien laissée aller, tout en souhaitant au plus vite la remettre à mon père.

Regarde, Papa, aurais-je dit. Tu l'as attendue. Tu es resté en vie suffisamment longtemps pour la voir. Aujourd'hui ce n'est pas seulement son jour, mais celui de nous tous. Et nous ne sommes pas les seuls qui la berceront et la protégeront. Elle aussi nous soutiendra et nous réconfortera. Elle aussi sera notre repozwa, l'endroit sacré où nous nous reposerons.

Je n'ai rien dit de semblable quand nous avons amené ma fille à mon père trois semaines plus tard, cinq mois après la mort de mon oncle. Debout près de son lit, je fus frappée de stupeur : il paraissait si immobile, semblait avoir tant vieilli. La chambre, elle aussi, avait été vidée de tout signe d'animation. Le grand lit au cadre de chêne qu'il partageait jadis avec ma mère avait été remplacé par un étroit lit d'hôpital qui lui permettait de se redresser en actionnant un bouton.

Mon mari descendit la barrière latérale du lit et déposa notre fille dans les bras décharnés de mon père. Je pensais qu'avec ses presque quatre kilos et demi, elle se révélerait trop lourde pour lui, mais il leva son visage près du sien et lui déposa un baiser sur le front. Les yeux de ma fille étaient fermés. Elle dormait.

« Sais-tu que j'ai attendu longtemps avant de te voir ? dit-il. Et tu n'es même pas réveillée. »

Un sourire s'épanouit sur les lèvres de mon père, mais l'effort fut trop grand pour lui. Il redonna Mira à mon mari et se mit à tousser.

Après le retour de mon mari à Miami, durant le mois que Mira et moi avons passé avec mon père, chaque fois qu'il la tenait, son sourire se dissolvait en une quinte de toux et, après quelques minutes, je devais la reprendre. Jusqu'au jour où, le matin, il descendit du lit tout seul et s'avança jusqu'au fauteuil inclinable près de la fenêtre.

« Laisse-moi la tenir, dit-il, pendant que tu prends une photo, pour la postérité. »

Je courus dans mon ancienne chambre et m'emparai de mon appareil photo. J'avais hésité à photographier Mira et mon père durant les brefs instants où il l'avait eue dans les bras. Je voulais qu'il profite au maximum de ces moments sans se soucier de poser. En outre, à mesure qu'il déclinait et maigrissait, il nous avait demandé de ne pas le prendre en photo. Il voulait qu'on garde de lui l'image d'un homme en bonne santé.

« Regarde-nous, les deux Mira », dit-il en fixant l'appareil. Dans le premier cliché, les yeux de ma fille étaient à demi fermés, comme si elle luttait pour rester éveillée.

« J'ai vraiment été très touché que vous l'ayez appelée Mira, me dit-il au moment où je prenais une deuxième photo. Maintenant, même quand je ne serai plus là – et tout le monde peut dire ça, même ceux qui ne sont pas malades –, le nom restera après moi. »

Ma fille à présent dormait à poings fermés. Pour la photo suivante, mon père baissa les yeux vers elle et lui sourit, un sourire qui, par miracle, ne déclencha pas de quinte de toux.

Plus tard dans la semaine, nous avons célébré le quarantième anniversaire du mariage de mes parents, mes frères et moi, nos conjoints et quelques amis intimes, en nous réunissant autour du lit de mon père et en portant des toasts en son honneur et en l'honneur de ma mère.

Mon père fut trop faible pour porter son verre de cidre à ses lèvres. Couvert de sueur, il essaya de prononcer quelques mots, mais en fut incapable. Ma mère nous pria de sortir rapidement de la chambre – il avait trop chaud – pour lui donner de l'air.

Peu après avoir quitté la pièce, une amie de mon père, appartenant à l'église, me dit : « Pourquoi ne le laissez-vous pas partir ? Dites-lui que c'est très bien s'il s'en va. »

Cela m'était impossible, lui ai-je dit, parce que je ne voulais pas qu'il parte. Je ne voulais pas qu'il meure.

Dans la journée, mon père ne mangea pratiquement rien. Et il ne put fermer l'œil de la nuit. Chaque fois qu'il prenait un somnifère et sommeillait quelques heures, il parlait à voix haute, prononçant des phrases incompréhensibles qu'il débitait à vive allure, sur un rythme saccadé. Il y avait des gens, morts depuis longtemps à son chevet, nous expliqua-t-il le lendemain matin. Sa mère en robe rouge. Son père qui chantait. Sa sœur qui riait. Ils le tenaient éveillé.

« Restez avec moi quelque temps », avait-il dit à ma mère et à moi, après avoir récité ses prières du soir. Puis il nous renvoya une demi-heure plus tard en disant : « Je suppose que vous avez à faire. Vous ne pouvez pas rester assises ici toute la soirée. »

Nous l'avons quitté à contrecœur, en laissant nos portes ouvertes de manière à réagir au moindre mouvement. Au cours de la nuit, il eut trop chaud, puis trop froid, et nous appela pour ouvrir et fermer les fenêtres.

Karl et Bob allèrent le baigner, lui frottèrent le corps avec des lotions médicalisées sur les zones de peau écailleuses provoquées par son psoriasis, certaines aussi à vif que des blessures ouvertes. Ils lui coupaient les cheveux, lui taillaient les ongles des mains et des pieds recourbés et privés d'oxygène. Je regardais toujours en sa compagnie ses jeux télévisés et ses films et, quand il le pouvait, nous discutions des nouvelles de Haïti et du monde.

Un après-midi, alors que ma fille dormait, j'étais assise à ses côtés et ma mère était en bas dans la cuisine, lorsqu'il demanda qu'on lui fasse du riz long pour le dîner. Plus tôt, au début de sa maladie, il avait jugé que les grains de riz aggravaient sa toux et il avait tout à coup arrêté d'en manger.

Ravie de voir qu'il avait faim, j'annonçai la nouvelle à ma mère qui faisait la cuisine en bas.

« Devine, dis-je. Papa veut du riz. »

Ma mère me renvoya demander des précisions. Comment voulait-il son riz ? Devait-elle le préparer avec du bouillon de poulet, le mélanger avec des haricots noirs ou rouges, le saupoudrer de noix de cajou râpées ? Est-ce qu'il accepterait qu'elle y mette un peu de beurre ou de margarine, pour ajouter quelques calories et donner un peu plus de goût, ou des morceaux de saucisses ou de bacon qui apporteraient les protéines dont il avait tant besoin ? Peut-être désirait-il des légumes frais, pour les fibres ?

Il ne voulait qu'un petit bol de riz blanc le plus simple qu'elle puisse faire cuire, dit-il. Il lui en fournit même la recette abrégée : « Une tasse de riz, de l'eau, une pincée de sel, une cuiller d'huile végétale pour que ça n'attache pas à la casserole. Faire bouillir le tout. »

Mon père avait toujours été difficile sur la nourriture. Mais il n'avait appris à cuisiner que durant ses premières années aux États-Unis, quand ma mère était encore en Haïti. Quand elle le rejoignit deux ans plus tard, la première chose qu'il fit fut de cuisiner pour elle.

Le premier repas que ma mère prit à Brooklyn ressemblait beaucoup à celui que Bob et moi avons pris dans les mêmes circonstances. Du poulet rôti, des plantains doux frits, que ma mère adore, et diri ak pwa, du riz aux haricots. Pendant quelque temps, chaque fois qu'il recevait des visiteurs venus de Haïti, mon père aidait à préparer ce même menu comme il l'avait fait pour nous, son festin de bienvenue, l'appelait-il, parce qu'il tenait à ce que ses invités goûtent à quelque chose qui avait servi à lui assurer la transition vers la vie d'immigrant. Et même si leur séjour ne devait pas durer aussi longtemps que le sien, il espérait qu'ils sentiraient, comme lui, qu'il était aisé de retourner chez soi, simplement en portant une fourchette à ses lèvres.

J'observai ma mère préparer le riz de mon père. Quand elle versa le contenu d'un verre gradué trop rempli, quelques grains tombèrent sur le côté, noircissant dans les flammes bleues du brûleur. Ses mains tremblèrent quand elle posa le couvercle pour enfermer la vapeur afin d'éviter que le riz ne devienne collant. Mon père aimait son riz léger et mousseux, mais dont les grains demeuraient séparés. Si on lui en donnait le choix, il préférait le manger al dente plutôt que trop cuit, pâteux. Comme depuis longtemps il n'avait plus de goût, ma mère craignait beaucoup de le décevoir.

Quand le riz fut prêt, ma mère fouilla dans un placard rempli de plats et d'assiettes réservés aux grandes occasions, dont elle ne se servait que pour recevoir des invités, et en sortit un plat de porcelaine blanche dont le centre avait pour décor des cerises géantes. Les cerises se chevauchaient en formant un gros cœur et quand ma mère posa le riz en tas par-dessus, elles firent office de messages codés venant d'une femme qui ne pouvait plus considérer comme ordinaires les moments qu'il lui restait à vivre avec son mari.

Je portai le riz à mon père sur le plateau jaune vif avec lequel on lui servait tous ses repas. Ma mère ajouta un verre d'eau glacée que mon père avait réclamé à la dernière minute. Quand j'entrai dans la chambre, son visage s'illumina et ses yeux brillaient d'avance de plaisir. Il était assis dans le fauteuil inclinable, le regard fixé sur l'assiette. Je me penchai pour poser le plateau devant lui. Les couvertures qui le recouvraient en quatre couches superposées remplaçaient les fonctions que les muscles et la graisse avait autrefois remplies. Ce qui, pour un autre, n'était que la température ambiante de la pièce pouvait paraître glacial pour lui.

Le mouvement vers l'avant de mon corps fit glisser le verre d'eau sur le plateau et l'eau glacée se renversa sur les genoux de mon père. Elle traversa les couvertures et atteignit son pyjama, coulant jusqu'au rembourrage d'éponge en dessous.

Mon père poussa un cri sonore. Je retirai vivement le plateau et le posai sur le buffet, derrière la télévision. Mais, alors qu'il gémissait et tentait en se tortillant d'échapper aux couvertures trempées, mon père ne quitta pas des yeux l'assiette de riz qui refroidissait à quelques mètres de lui.

De la cuisine ma mère entendit les hurlements de mon père et se précipita pour lui porter secours. Elle retira rapidement les couvertures, tout en me criant d'aller lui chercher une serviette de toilette et un pyjama sec dans l'armoire.

Les manifestations de douleur passèrent bientôt des cris aux gémissements.

« Oh, mon Dieu ! répétait-il avec des larmes dans la voix. Oh, mon Dieu ! »

Une heure plus tard, mon père tremblait encore, malgré pas moins de trois couettes posées les unes sur les autres.

« J'ai l'impression, dit-il, d'avoir dormi sur un lit de glace pendant des jours entiers. »

Il fallut l'oxygène et un nébuliseur pour le réconforter. A ce moment-là, le riz était froid et il n'en avait plus aucune envie.

« Je suis désolée, Papa », dis-je en tremblant à son chevet. J'avais de terribles visions et je m'imaginais le regardant mourir de froid des suites de ma maladresse.

« C'était un accident. » Il sortit une main osseuse de sous les couettes pour attraper la mienne. « Je sais que tu ne l'as pas fait exprès.

— Je m'excuse d'avoir gâché ce riz, dis-je. Je sais combien tu le voulais. »

Il hésita, puis me serra la main plus fort.

« Je l'ai moins voulu que je ne voulais le vouloir, me dit-il. La vérité, c'est que je n'ai plus ni faim ni soif. Et j'aimerais tant avoir faim et soif. »

Entendre cela me fit beaucoup plus de peine que je n'en avais eue à l'entendre quelques semaines plus tôt raconter qu'il avait rêvé que se tenaient à côté de son lit Granpé Nozial et Granmé Lorvana et Tante Ino, son père, sa mère et sa sœur, tous morts depuis longtemps. Cela me fit plus de peine que cette façon qu'il avait eue de commencer chaque phrase par « Lé m ale ». Quand je m'en serai allé.

Assise à ses côtés cet après-midi-là, je me suis souvenue qu'il m'avait mise en colère lors de la fête de Thanksgiving, deux ans auparavant, quand il s'était installé à table et n'avait pas touché à son assiette.

« Rien de tout cela ne me fait envie », avait-il déclaré.

Après avoir travaillé pendant deux jours devant ses fourneaux, ma mère avait été consternée par ce qu'elle considérait comme une condamnation flagrante de sa cuisine. Mais ce que nous ignorions alors, et ce dont mon père n'avait pas pris conscience lui non plus à l'époque, était qu'il était déjà atteint par une maladie qui le rongeait peu à peu, le privant notamment de son goût pour la nourriture et du besoin qu'il avait de cet appétit pour reconstituer ses forces.

L'odeur nous en parvint avant que nous ayons pu la voir. Une nouvelle casserole de riz blanc à longs grains préparé par ma mère. Cette fois-ci elle apporta l'assiette elle-même et non pas sur le plateau habituel, mais sur un plat d'argent sorti du placard spécial. Mon père se redressa sur son lit pour le recevoir et dès que ma mère lui donna la cuiller, car il mangeait toujours son riz avec une cuiller, il se jeta dessus.

Il mâcha à peine, faisant passer les grains d'une joue à l'autre, puis avalant le tout à la hâte. Si je ne l'avais pas connu, je l'aurais pris pour quelqu'un d'affamé, de vorace, d'insatiable même. Et peut-être l'était-il. Ou bien il essayait avec acharnement de se nourrir de quelque chose de reconnaissable et de familier.

Quand il en eut mangé la moitié, mon père me tendit l'assiette.

« Est-ce que tu en veux ? me demanda-t-il.

— Il en reste dans la cuisine, lui dit ma mère. Elle pourra en avoir tout à l'heure. Ça, c'est pour toi.

— Laisse-la en prendre », insista-t-il.

Je tendis la main et pris l'assiette. En utilisant la cuiller de mon père, j'enfournai un monceau de riz dans ma bouche. Il était simple, mais savoureux. Je soupçonnais ma mère d'avoir ajouté du bouillon, de la margarine, ou même quelques gouttes de lait de coco.

Je me rendis compte cet après-midi que, depuis presque un an, alors que ma mère, mes frères et moi lui avions constamment apporté de la nourriture, ce n'est qu'en de rares occasions que nous avions mangé avec lui. Je ne m'étais pas aperçue que manger à une table, passer une assiette, des épices ou une cuiller pouvaient lui manquer. Et c'était pourtant le cas. Tout comme lui manquaient certains visages, certains endroits et certaines voix, autant de choses que ni ses amis, ni sa famille, ni la télévision ne pouvaient apporter dans sa chambre.

Je suis repartie à Miami avec ma fille le lendemain matin. Trois jours plus tard, Bob me téléphona avant le lever du jour. L'heure me fit comprendre que ce n'était pas pour m'annoncer de bonnes nouvelles.

« Il est mort, n'est-ce pas ? demandai-je.

— Il est mort », me répondit-il.

Je pense maintenant que mon père a attendu que je parte. Qu'il ne voulait pas que je tienne Mira d'une main et sa dépouille de l'autre.

La nuit où mon père est mort, ma mère entendit, venant de sa chambre, le même type de discours débité sur un rythme saccadé auquel elle était alors habituée. Au milieu de ce flot de paroles, il réussit à crier le nom de ma mère. Elle se précipita dans la chambre et le trouva en sueur et cherchant son souffle. Elle s'assura que le tube à oxygène était bien placé dans son nez et essaya de glisser le tuyau du nébuliseur entre ses lèvres.

« M pa kapab », lui dit-il. Je ne peux pas.

Ses yeux chavirèrent et sa tête tomba en arrière, mollement, sur son oreiller.

Ma mère téléphona à Bob qui arriva et, après avoir appelé mon père à plusieurs reprises (« Pop! ») et lui avoir placé un masque sur le nez et la bouche sans obtenir de réponse, appela les urgences.

Lorsque les auxiliaires médicaux arrivèrent, ils demandèrent à Bob si mon père avait signé une déclaration de refus d'acharnement thérapeutique. Bob leur dit que non. Nous ne l'avions pas encouragé à en signer une, même après la suggestion du médecin de Columbia, ce qui montre combien nous étions incapables de le laisser partir.

Les infirmiers retirèrent les habits de mon père, l'allongèrent nu sur le parquet de sa chambre et martelèrent sa poitrine sans arrêt pendant une heure. S'ils avaient réussi à le ressusciter, il aurait probablement eu deux côtes cassées.

Ni Bob ni ma mère ne purent rester pour regarder, aussi pendant que les réanimateurs travaillaient, ils descendirent à l'étage inférieur où un policier les interrogea.

La présence du policier, ce personnage représentant l'autorité extérieure, lointaine, était étrange. Etait-ce là une pratique courante pour tous les décès aux États-Unis, même ceux qui étaient attendus, comme c'était le cas pour mon père? J'ai posé la question à ma mère et à mon frère.

C'était, avait expliqué le policier, une mesure pour

s'assurer qu'il n'y avait rien de louche, qu'on n'avait pas affaire à un cas d'euthanasie.

Depuis combien de temps mon père était-il malade? demanda le policier à ma mère et à mon frère Quels médicaments prenait-il?

Quand j'étais à la maison avec mon père, quelques jours plus tôt, couchée avec ma fille dans le même lit où j'avais dormi pendant mon adolescence, je restais éveillée certaines nuits en me demandant ce que je ferais si, au matin en me réveillant, je découvrais mon père mort. Au cours de ces nuits, en tenant compte du conseil de son amie qui me suggéra de le laisser partir, je procédais à une sorte de répétition mentale des diverses possibilités.

Quand il paraîtrait irréversible et absolument définitif que mon père allait mourir, alors je le laisserais partir.

N'aie pas peur, lui dirais-je. C'est très bien. Nous t'aimons. Nous nous souviendrons tous de toi. Puis en nommant chacun d'entre nous, je lui dirais que nous irions tous bien et qu'il en irait de même pour lui. Manman irait bien, lui dirais-je. Kelly irait bien. Karl irait bien. Ezekiel, le fils de Karl, irait bien. Zora, sa fille, irait bien. J'irais bien et Mira irait bien aussi. Puis je me pencherais vers lui et lui donnerais un baiser d'adieu.

Je ne sais pas si j'en aurais été capable. Le désir de le voir revenir, de l'avoir parmi nous ne serait-ce qu'un seul jour, aurait peut-être été toujours trop fort.

Granmé Melina me raconta un jour l'histoire d'une fille dont le père était mort. La fille aimait tant son père que cette mort lui avait brisé le cœur en mille morceaux. Quand arriva le moment de préparer les réjouissances de la veillée mortuaire, qui, dans ce pays, se tenait jadis la nuit précédant les funérailles, la fille ne voulut pas en entendre parler un seul instant et refusa tout net que cette fête eût lieu.

« Ma fille, dit l'une des femmes du village pleine de sagesse, laisse les gens se réjouir ce soir lors de la veillée pour ton père avant qu'ils ne pleurent demain.

— Il n'y aura pas de fête, répondit la fille. Pourquoi devrais-je faire la fête alors que mon père est mort?

— Ma fille, insista la vieille femme, laisse la veillée se tenir. Ton père se trouve maintenant dans le pays sous les eaux. Nous n'avons pas coutume de laisser notre chagrin nous réduire au silence. »

Sachant que la vieille femme avait le don de passer du monde des vivants à celui des morts, un privilège que les ancêtres n'accordaient qu'à un petit nombre d'élus, la fille dit à la vieille femme : « Je ne laisserai la veillée se tenir que si tu vas dans le pays sous les eaux et que tu en ramènes mon père. »

La vieille femme se rendit à la rivière la plus proche et pénétra dans l'eau. Quelques heures plus tard, elle en ressortit et courut tout droit chez la fille.

« Où est mon père? demanda celle-ci.

— Ma fille, répondit la vieille femme, je reviens de dessous les eaux, du fond des entrailles de la Terre. Certaines routes étaient larges et d'autres étroites. Je les ai prises. Il y avait des collines et des montagnes. Je les ai gravies. Il y avait des hameaux et des villages, des bourgs et des villes. Je les ai traversés aussi. Et finalement j'ai atteint la terre des ancêtres, la cité des morts.

— Est-ce que tu as vu mon père? demanda la fille, impatiente.

— J'ai vu tant de gens que je ne pourrais même pas te dire qui j'ai vu, répondit la vieille femme. J'ai vu ma mère et mon père, mon oncle et ma grand-mère, ma tante qui a été piétinée par un cheval et ma sœur qui est morte de tuberculose dans son enfance. Tous mes êtres chers qui sont morts étaient là.

— Est-ce que tu as vu mon père? cria la fille.

— Ma fille, répondit la vieille femme, j'ai cherché et cherché parmi tous les gens jusqu'à ce que je trouve ton père.

— Où est-il? demanda la fille.

— Je suis venue te ramener dans le monde des vivants, ai-je dit à ton père. Ta fille a le cœur brisé en mille morceaux et elle ne peut pas vivre sans toi.

— Et qu'a-t-il répondu? demanda la fille.

— Je suis très touché que ma fille veuille que je revienne, a-t-il dit, mais j'habite ici maintenant, au pays des ancêtres. Dis à ma fille pour moi que quand on est vivant, on est vivant, mais quand on est mort, on est mort. »

La vieille femme tira alors de sa poche un dentier que le père avait scrupuleusement porté quand il était encore parmi les vivants et qu'il avait emporté avec lui au pays des morts.

« Ton père t'envoie ceci, dit la vieille femme, afin que tu croies que je l'ai vu et que tu acceptes ce qu'il dit. »

La fille prit le dentier dans ses mains et le regarda avec une grande tristesse, mais aussi avec un courage renouvelé.

« Si tel est le vœu de mon père, qu'il en soit ainsi, dit-elle. Nous aurons une veillée pour l'honorer, pour nous réjouir et célébrer sa vie avant que son corps soit mis en terre. Nous mangerons. Nous chanterons. Nous danserons et nous raconterons des histoires. Mais, ce qui est le plus important, nous parlerons de lui. Car nous n'avons pas coutume de laisser notre chagrin nous réduire au silence. »

Quelques mois après la mort de mon père, la maison de mes parents prit feu. L'incendie se déclara à trois heures du matin dans la chambre où mon père était resté allongé pendant presque un an, dans l'angle où nous gardions sa réserve de bouteilles d'oxygène. Etant donné la nature de l'incendie – des crépitements dans les murs, des étincelles dans de vieux circuits électriques –, le capitaine des pompiers était persuadé que la bâtisse, qui perdit une partie de son toit et quelques murs, aurait pu être totalement détruite en un quart d'heure. Ce qui aurait donné, fort heureusement, le temps de s'échapper à ma mère, à mon frère Karl et à sa famille, qui étaient venus vivre avec ma mère. Mais mon père, dans l'état de santé qui était le sien, n'aurait pas eu le temps de rassembler ses forces et de gagner la sortie. Il n'aurait sans doute pas entendu le sifflement des flammes que lui aurait caché le bourdonnement de son compresseur d'oxygène, ou distingué la fumée au milieu des visages fantomatiques qui hantèrent ses dernières nuits.

Après la mort de mon oncle Joseph, mon père raconta qu'il n'avait rêvé de lui qu'une seule fois, et jamais il ne l'avait imaginé au sein du petit groupe qui se rassemblait autour de son lit. Dans le rêve de mon père, lorsque mon oncle téléphone de l'appartement de Maxo dans la nuit où il faillit mourir, mon père arrive à temps pour partir en ambulance avec lui et lui tenir la main pendant que l'équipe médicale perce le trou de la trachéotomie dans son cou.

« Il a dû avoir très peur, dit mon père, car il ne savait pas s'il allait vivre ou mourir. »

Comme peut-être la plupart des gens dont les êtres chers sont morts, j'aimerais avoir des garanties sur la vie dans l'au-delà. J'aimerais être absolument certaine que mon père et mon oncle sont maintenant ensemble en quelque endroit tranquille et reposant, qu'ils reprennent les promenades et les discussions que, lors des visites trop rares et trop brèves, ils n'avaient eu le loisir de poursuivre. J'aimerais savoir s'ils s'apportent mutuellement le réconfort leur permettant d'oublier ces dernières heures, ces derniers jours de leur vie qui furent si pénibles, épouvantables même. J'aimerais pouvoir donner un sens au fait qu'ils partagent le même tombeau dans ce cimetière à Queens, à New York, après avoir vécu séparés pendant plus de trente ans.

Quoi qu'il en soit, de temps à autre, j'essaye de les imaginer se promenant sur les hauteurs de Beauséjour. C'est l'aube d'un matin éblouissant, au-dessus des collines verdoyantes. Le soleil se lève lentement, perçant le brouillard. Paisibles, ils descendent le sentier en zigzag qui relie les villages au reste du monde, au pied des montagnes. Et dans mon imagination, chaque fois qu'ils se perdent de vue, l'un ou l'autre appelle d'une voix qui résonne en écho dans les collines : « Kote w ye fré m? » Mon frère, où es-tu?

Et l'autre s'empresse de répondre : « Mwen la. » Là, mon frère. Je suis là.

REMERCIEMENTS

Je suis extrêmement reconnaissante à la Fondation Lannan pour la bourse qu'elle m'a accordée au moment où le besoin s'en faisait le plus sentir. Merci à Cheryl Little, Mary Gundrum, Sharon Ginter et à tout le personnel du Comité de défense des immigrants de Floride de m'avoir donné accès à ces documents essentiels pour ce récit que furent les archives du Centre de rétention de Krome, du Jackson Memorial Hospital et du Department of Homeland Security, ainsi qu'aux rapports du Bureau de l'Inspecteur général du ministère de la Justice, grâce à l'action légale qu'ils ont menée et à leurs recours insistants à la Loi sur la liberté d'information. Ma gratitude va également à l'Association des étudiants en droit de Harvard pour la défense des droits de l'homme et au Centro de Justiça Global de Rio de Janeiro et São Paulo, au Brésil, pour leur rapport de mars 2005 intitulé *Le maintien de la paix en Haïti ? Une évaluation de la Mission des Nations unies pour la stabilisation en Haïti utilisant son mandat comme baromètre de son succès.* Merci également à Irwin P. Stotzky de l'Ecole de droit de l'Université de Miami et à Thomas M. Griffin, Esq., pour leur *Rapport sur les droits de l'homme en Haïti : 11-21 novembre 2004.* Merci aux députés Kendrick B. Meek, Charles Rangel et à Major Owens, Robert Miller, John Schelbe, Drew Hamill, Alix Cantave et Esther Olavarria qui ont accepté de nous écouter. Je suis extrêmement reconnaissante à Jonathan Demme, Joanne Howard, James et Stephanie McBride, Susan Benesh, Kathy Klarreich, Ira Kurzban, Leslie Casimir, Patrick Sylvain, Ron Howell, Patricia Benoît, Lewis Kornhauser, Daniel Wolff, Jim Defede, Gina Cheron, Tamara Thompson et Johnny McCalla de la Coalition nationale pour les droits des Haïtiens, à New York, pour l'intérêt qu'ils ont porté à ce livre et pour les conseils qu'ils m'ont donnés. A John Patrick Pratt, pour avoir représenté mon oncle dans des conditions d'une extrême difficulté. Pour l'aide et l'affection qu'ils ont témoignées à mon père, j'aimerais adresser mes remerciements à Elycin et Lourdes Pyram, Denifa Rejouis, Drs. P. Krishnan, Paul Farmer, Ketly Elysée, Jocelyn Celestin et Hearns Charles, les révérends Rene Etienne et Phylius Nicolas, le révérend et Mrs. Elima Maréus. Merci à Nick, Maxo, Franck, Josephine et Zi Dantica, Nicole Aragi, Robin Desser, Alena Graedon, Bob, Kelly, Rose, Mia et Karl Danticat, Ruth et Garry Auguste, Issalia et Fedo Boyer.

Diane Wolkstein a donné une remarquable version de « Dieu le Père et l'Ange de la Mort » sous le titre « Papa God and General Death » dans son merveilleux recueil *The Magic Orange Tree and Other Haitian Folktales*. Harold Courlander a fait de même avec « Who Is Older ? » et « The Voyage Below the Water » dans *The Piece of Fire and Other Haitian Tales*. Ruth Auguste, dans son mémoire à ce jour inédit, *Mom in the Mirror,* raconte l'histoire de Marie Micheline avec un plus grand luxe de détails.

TABLE

Cet ouvrage a été imprimé en France par

CPI
Bussière

à Saint-Amand-Montrond (Cher)
en octobre 2008
pour le compte des Éditions Grasset,
61, rue des Saints-Pères, 75006 Paris.

Nº d'édition : 15529. — Nº d'impression : 083311/4.
Dépôt légal : octobre 2008.